JUMP COMICS

YU-GI-OH!

遊☆戯☆王《ゆうぎおう》

カプセル・モンスター・チェス! 3

高《たか》橋《はし》和《かず》希《き》

《MAIN《メイン》 CAST《キャスト》》

本編《ほんぺん》の主人公《しゅじんこう》。いじめられっ子《こ》だったが「千年《せんねん》パズル」を解《と》いたことから、闇《やみ》のゲームを受《う》け継《つ》ぎ悪《あく》を裁《さば》く〝正《せい》義《ぎ》の番人《ばんにん》〟となった。

武藤遊戯《むとうゆうぎ》

城之内《じょうのうち》

▶不良《ふりょう》っぽいが、心《こころ》は優《やさ》しい。男《おとこ》の友情《ゆうじょう》を守《まも》り抜《ぬ》く、熱血漢《ねっけつかん》野郎《やろう》。

真崎杏子《まざきあんず》

▶遊戯《ゆうぎ》の幼《おさな》なじみ。勝気《かちき》で男《おとこ》まさりだけど、とってもC《キュート》な女《おんな》の子《こ》。

武藤双六《むとうすごろく》

▶遊戯《ゆうぎ》の祖父《そふ》。亀《かめ》のゲーム屋《や》・主人《しゅじん》で、ゲームにやたらと詳《くわ》しい。

本田《ほんだ》

▶城之内《じょうのうち》の友人《ゆうじん》。ぶっきらぼうだが根《ね》は純情《じゅんじょう》で、男気《おとこぎ》あふれるヤツ。

シャーディー

◀古代《こだい》エジプトの墓守《はかもり》の血族《ぞく》、アヌビスの使徒《しと》。遊戯《ゆうぎ》の持《も》つ"力《ちから》"に興味《きょうみ》を抱《いだ》く。

YU-GI-OH!

遊☆戯☆王《ゆうぎおう》

Vol.3

【もくじ】

く…
城之内《じょうのうち》くん！
ズズ
ズズ
ズズ
遊闘《バトル》16 シャーディーの挑発《ちょうはつ》
教授《きょうじゅ》…本気《ほんき》で城之内《じょうのうち》を殺《ころ》す気《き》よ！
吉森教授《よしもりきょうじゅ》！どうしてしまったんじゃあ！

遊闘《バトル》16

シャーディーの挑発《ちょうはつ》

ぬ〜〜〜〜!
なんてバカ力《ぢから》じゃ! この腕《うで》 てこでも動《うご》かん!
城之内《じょうのうち》くん!
ヒヒ…
どうしちゃったんだ… 教授《きょうじゅ》…!!
まるで催眠術《さいみんじゅつ》をかけられて 殺人鬼《さつじんき》に変《へん》ぼうしちゃったみたいに…
シャーディー!!
!
シャーディーが教授《きょうじゅ》に 何《なに》かしたのか…!?

遊戯《ゆうぎ》よ……
その者《もの》の「心《こころ》の部屋《へや》」は
すでに「模様替《もようが》え」され
私《わたし》の意《い》のままなのだ
その人形《にんぎょう》には
一念《いちねん》を植《う》えつけて
おいた、
少年《しょうねん》の
友《とも》を苦《くる》しめよ……
と……
それは
遊戯《ゆうぎ》の「心《こころ》」を
追《お》いつめることに
なる……
これは
あくまで
私《わたし》の仮説《かせつ》に
すぎないが……
追《お》いつめられ
「心《こころ》」の行《い》き場《ば》を
失《うしな》った時《とき》……
少年《しょうねん》は
もうひとりの遊戯《ゆうぎ》を
呼《よ》び覚《さ》ますハズだ！

王《ファラオ》の墓《はか》をあばき
神《かみ》の領域《りょういき》を侵《おか》した者《もの》に
裁《さば》きを与《あた》えた後《あと》ー
私《わたし》は
すみやかに
この国《くに》を去《さ》る
つもりだった…
だが 偶然《ぐうぜん》にも
あの少年《しょうねん》と
出会《であ》うことに
なる…
あの瞬間《しゅんかん》から
心《こころ》に くすぶり続《つづ》ける
敗北感《はいぼくかん》…
この残《のこ》り火《び》を
消《け》さぬまま…
この国《くに》を去《さ》るワケには
いかなくなった…
もう一度《ど》
会《あ》いたい…
もうひとりの
遊戯《ゆうぎ》の力《ちから》を
この眼《め》で
たしかめたい!!

そのためなら
どこまでも
追《お》いつめるぞ…
少年《しょうねん》!!
城之内《じょうのうち》くん!!
…ぐ…
くっ……
城之内《じょうのうち》!!
ヤバいよ…
!!

教授《きょうじゅ》～～～っ…
ゴメンなさい!!
ガゴォオオン☆
ポロ

ドッ
ク…
ゼイゼイ……
ゲホ…
…ったく…
…死《し》ぬ…
…一歩《いっぽ》……
手前《てまえ》…だったぜ
やったー
杏子《あんず》！
吉森教授《よしもりきょうじゅ》がフッ飛《と》んだ…！
！
大丈夫《だいじょうぶ》
城之内《じょうのうち》くん！
ああ…
杏子《あんず》！
ナイス一撃《いちげき》！
吉森教授《よしもりきょうじゅ》もチョット心配《しんぱい》じゃが……
手《て》ごたえがありすぎちゃったけど…
いっ!!
いや…！
教授《きょうじゅ》の状況《じょうきょう》は変《か》わってないよ！
ゾンビか〜〜〜〜!!

みんなー！なるべく散《ち》らばれ！
どうやらあの教授《きょうじゅ》ひとりでは役不足《やくぶそく》か…
ならばこの中《なか》のもうひとりの「心《こころ》の部屋《へや》」に入《はい》り…
「人形《にんぎょう》」にする必要《ひつよう》がありそうだ！

みんな
気《き》をつけて！
この
少女《しょうじょ》に…
カチャ
ゴオオオォ

ドン☆
これが
この少女《しょうじょ》の
「心《こころ》の部屋《へや》」か…
部屋《へや》は
鏡《かがみ》で囲《かこ》まれている
まるでダンスの練習場《れんしゅうじょう》の
ように…
鏡《かがみ》は自分《じぶん》の姿《すがた》を
映《うつ》し出《だ》す…
それは「自信《じしん》」の現《あらわ》れだ!
この少女《しょうじょ》は確固《かっこ》たる
信念《しんねん》を持《も》っている
そして
夢《ゆめ》を…
顔《かお》のない
男《おとこ》の写真《しゃしん》…!?
これは
私《わたし》には
意味不明《いみふめい》だ…

フ…
この少女《しょうじょ》には好感《こうかん》が持《も》てる…
この「部屋《へや》」も「模様替《もようが》え」をさせてもらう…
可哀相《かわいそう》だがこれも…
少年《しょうねん》を追《お》いつめるためなのだ…
せめて教授《きょうじゅ》のようなみじめな人形《にんぎょう》にはしないつもりだ…
言葉《ことば》と記憶《きおく》だけを失《うしな》った可憐《かれん》な人形《にんぎょう》に…
ゴゴ
暗《あん》・黙《もく》・模《も》・様《よう》！
ゴゴ
ウヒャ〜〜
ズズン

！
ウゲ また こっち来《き》た！
吉森教授《よしもりきょうじゅ》 どうしてしまったんじゃ！
ワシを忘《わす》れてしまったのかい！
じーさん！ ダメだ 不用意《ふようい》に近《ちか》づいちゃ!!
友達《ともだち》じゃろう…
ウ…
ウガウガ——!!
ぐあっ!!
じいちゃん！
じーさん！
キュ〜イ
キュ〜イ
城之内《じょうのうち》くん 気《き》をつけて！
くそ…
このままじゃ 遊戯《ゆうぎ》も杏子《あんず》も このゾンビ野郎《やろう》に やられちまうのは 時間《じかん》の問題《もんだい》か…
ここは オレが ひきつけて……

この場《ば》を離《はな》れるぜ！
や〜い！オタンコナスのバカ教授《きょうじゅ》ーっ!!
くやしかったらオレのケツに噛《か》みついてみやがれーっ！
ケーッ！
ウガァァ!!
こっちだぜ〜〜〜〜！
へへ…追《お》って来《き》やがれ！
城之内《じょうのうち》くん！
遊戯《ゆうぎ》よ…
君《きみ》はいい友《とも》を持《も》ったな…
彼《かれ》は身《み》を犠牲《ぎせい》にして君《きみ》を守《まも》ろうと考《かんが》えたようだ…
シャーディー！

そして
ここにも…
杏子《あんず》!!
杏子《あんず》に…
何《なに》をしたんだ
!

「心《こころ》の部屋《へや》」の「模様《もよう》替《が》え」をさせてもらった…
この少女《しょうじょ》は言葉《ことば》も記憶《きおく》も持《も》たぬ人形《にんぎょう》…
私《わたし》の意志以外《いしいがい》動《うご》くことのない「人形《にんぎょう》」と化《か》したのだ！
!!
さあ少年《しょうねん》よ！怒《いか》りに身《み》をまかせるがいい…
悲《かな》しみに身《み》を震《ふる》わせるがいい！
そして奴《やつ》を呼《よ》び覚《さ》ませ！

もうひとりの遊戯《ゆうぎ》を!!
ククッ
ゴゴッ
ドドドドドド
くっ…
ヒャヒャヒャヒャヒャ〜〜〜

だ———っ！
なんっつう足《あし》の早《はえ》えおっさんだー!!
へへ…だが逃《に》げてるワケじゃねーぞ！
遊戯《ゆうぎ》たちからはかなり距離《きょり》をとったぜ!!
次《つぎ》の曲《ま》がり角《かど》でケリをつけるぜ！

へへ…
来《き》・や・が・れ！
バッ
だぁりゃぁあああああ～～！

っしゃあ!
会心《かいしん》の一撃《いちげき》ってやつっスかぁ——!
…教授《きょうじゅ》…
大丈夫っスか…?今ので眼ェ覚めたでしょ!ネ!
ゴメ・ンね~
殺《ころ》されかけてもそんな教授《きょうじゅ》をも気遣《きづか》うオレ…なんてやさしいんだ…
ポロ
ポロ
え〜っ!

ウソおおおお！
フヒャホ～
な・・・
なんできかねーんだよ——!!
ズッ
ズッ

そうだ…
怒《いか》れ！
悲《かな》しめ！
憎《にく》め！
感情《かんじょう》の境界《きょうかい》の向《む》こうに…
まるでリレー競走《きょうそう》でバトンの受《う》け渡《わた》しを待《ま》つ走者《そうしゃ》のように…
もうひとりの遊戯《ゆうぎ》が待《ま》っているハズだ！
遊戯《ゆうぎ》よ よく聞《き》け…
これが最後《さいご》の「引《ひ》き金《がね》」の言葉《ことば》だ…
この少女《しょうじょ》は私《わたし》が「死《し》ね」と命《めい》ずれば…
死《し》ぬだろう！

奴《やっ》が……
来《く》る…!!

シャーディー〜〜〜!!

やっと会《あ》えたな…
もうひとりの遊戯《ゆうぎ》よ!
さあ!
ゲームの第《だい》二幕《まく》を始《はじ》めよう…

遊闘《バトル》17　ゲーム開始《スタート》!!

会《あ》いたかったぞ もうひとりの遊戯《ゆうぎ》よ…
シャーディー!
ゴゴゴオオ
再《ふた》び会《あ》えた今《いま》 君《きみ》とは 決着《けっちゃく》をつけなければならない… 闇《やみ》のゲームでな!
!
この前《まえ》は「心《こころ》の部屋《へや》」を探《さぐ》り君《きみ》の力《ちから》を たしかめようとしたが… 逆《ぎゃく》に返《かえ》り討《う》ち…
だが今度《こんど》は この現実《げんじつ》で君《きみ》の力《ちから》をためさせてもらう!

ゴゴゴ
このゲーム
受《う》けてたつしか
なさそうだな…
ああ
——でなければ
この少女《しょうじょ》は
永遠《えいえん》に「人形《にんぎょう》」の
ままだからな…
杏子《あんず》!!
ゲームは 今《いま》より
十分後《ぶんご》
屋上《おくじょう》で始《はじ》める!
私《わたし》は先《さき》に行《い》き
手筈《てはず》を
整《ととの》えておく…
幸《さいわ》い ここは
考古学研究室《こうこがくけんきゅうしつ》だけ
あって 必要《ひつよう》な道具《どうぐ》は
揃《そろ》っているようだ!
八時《じ》だ!
その時刻《じこく》に
なったら
屋上《おくじょう》に上《あ》がって来《こ》い!
……

チッ
シャーディー
奴《やつ》が 執拗《しつよう》に
オレの力《ちから》を
ためそうとする
のはなぜか…
奴《やつ》の「血族《けつぞく》」ってのが
オレの力《ちから》を
利用《りよう》しようと
考《かんが》えているのか…
それとも
消《け》し去《さ》りたい
のか…
「千年《せんねん》パズル」の力《ちから》…
その力《ちから》は
オレにとっても
未知《みち》なる力《ちから》だぜ！
そして
そいつはオレの
「本当《ほんとう》の部屋《へや》」で
眠《ねむ》っている…！
ゴゴゴ
わずかな脈動《みゃくどう》を
刻《きざ》みながら
その時《とき》が来《く》るのを
待《ま》っている！
——だが！
ひとつだけ
ハッキリしたことが
あるぜ
シャーディー

貴様《きさま》が
オレにとって
――
チッ
敵《てき》で
あるということが!!
たとえ
どんなゲームを
挑《いど》まれたとしても
――
絶対《ぜったい》勝《か》つぜ!!
杏子《あんず》のために!!
チッ
カチッ

ゴオォ
ォォ

!
ドン
杏子《あんず》!!
ではゲームを始《はじ》めよう…
「心理《しんり》の秤《はか》り」のゲームだ!!

ゴゴゴゴ
杏子《あんず》!
シャーディー!
よくも杏子《あんず》をあんな危険《きけん》な目《め》に!!
ゲームに利用《りよう》する気《き》か!
そのとおりだ遊戯《ゆうぎ》…
君《きみ》のゲームの敗北《はいぼく》は…少女《しょうじょ》の「死《し》」を意味《いみ》する…
く…!
!
ゲームのルールを説明《せつめい》する前《まえ》にひとつ いっておきたいことがある…
「千年《せんねん》パズル」についてのことだが──

君《きみ》が「千年《せんねん》パズル」をどのような経路《けいろ》で手《て》に入《い》れたのかは知《し》らぬ…
ましてや三千年《ぜんねん》もの間《あいだ》 誰一人《だれひとり》として成《な》し遂《と》げることのなかったパズルを見事《みごと》 完成《かんせい》させることになるわけだが——
君《きみ》はそれらを偶然《ぐうぜん》と考《かんが》えている…
だがそれは違《ちが》う…
「千年《せんねん》パズル」が君《きみ》を選《えら》んだのだ！
三千年《ぜんねん》の時《とき》を待《ま》ってな…
…
！！
そして我《わが》血族《けつぞく》も——
「千年物《せんねんアイテム》」の「力《ちから》」に選《えら》ばれた民《たみ》なのだ！
——だから
オレたちが仲間《なかま》だなんてぬかすんじゃねーだろうな！
そんなコトは聞《き》きたくもないぜ！
ゲームのルールを聞《き》かせな！
怯《おび》えるな…
遊戯《ゆうぎ》…

……なんだと…
お前《まえ》は「心《こころ》」のどこかでその「力《ちから》」に怯《おび》えているのだ！
未知《みち》なる「千年《せんねん》パズル」の力《ちから》に
怯《おび》えているだと…‼
‼
遊戯《ゆうぎ》よ…
それは「心《こころ》」の弱《よわ》さなのだ！
その証拠《しょうこ》にあれを見《み》るがいい！
!?
ゴゴゴゴ
ピシィ

バキッ
!!
グラッ
杏子《あんず》!!
これは一体《いったい》…!!
像《ぞう》がひとりでに割《わ》れた!?
遊戯《ゆうぎ》…すでにゲームは始《はじ》まっていることに気《き》づかないか…
少女《しょうじょ》の立《た》っているのは「命《いのち》のかけ橋《はし》」!
それを支《ささ》えている四本《ほん》のロープの先《さき》は四体《たい》の小人物像《ウシャブティ》に結《むす》ばれている
ウシャブティとは「答《こた》える者《もの》」を意味《いみ》する
そしてそれらの像《ウシャブティ》はお前《まえ》の「心《こころ》」の移《うつ》し身《み》なのだ!!

遊戯《ゆうぎ》！
お前《まえ》が「心《こころ》」の弱《よわ》さを見《み》せた時《とき》—
小人物像《ウシャブティ》はその「心《こころ》」に答《こた》え一体《たい》ずつ砕《くだ》け散《ち》っていく!!
ドクン!!
そしてお前《まえ》の心《こころ》の移《うつ》し身《ウシャブティ》が四体《たい》すべて砕《くだ》け散《ち》った時《とき》…
少女《しょうじょ》の命《いのち》も砕《くだ》け落《お》ちる…
残《のこ》り三体《たい》!!
!!
だが遊戯《ゆうぎ》…これはゲームだ
お前《まえ》が勝《か》つ条件《じょうけん》を説明《せつめい》しよう
少女《しょうじょ》の「命《いのち》のかけ橋《はし》」を支《ささ》えている四本《ほん》のロープは「千年錠《せんねんじょう》」の輪《わ》をくぐっている！
そしてその「千年錠《せんねんじょう》」を支《ささ》えているのは私《わたし》の「心《こころ》」の移《うつ》し身《ウシャブティ》だ！
「千年錠《せんねんじょう》」を支《ささ》えるシャーディーのウシャブティ（一体《たい》）
遊戯《ゆうぎ》のウシャブティ（三体《たい》）
杏子《あんず》の「命《いのち》のかけ橋《はし》」を支えるロープ
千年錠《せんねんじょう》

つまり お前《まえ》の「心《こころ》」の移《うつ》し身《ウシャブティ》 三体《たい》が砕《くだ》ける前《まえ》に 私《わたし》の「心《こころ》」のウシャブティを 砕《くだ》くことができたら…
「千年錠《せんねんじょう》」は ロープを伝《つた》い 少女《しょうじょ》の手《て》に とどく ようになっている！
「模様替《もようが》え」された 者《もの》は その手《て》に 「千年錠《せんねんじょう》」を握《にぎ》ることで 正気《しょうき》に返《かえ》る!!
少女《しょうじょ》の命《いのち》は 助《たす》かり… 私《わたし》の負《ま》けとなる！
わかるな 「心《こころ》」の弱《よわ》さを 見《み》せた者《もの》が ゲームの敗者《はいしゃ》と なるのだ！
お互《たが》いの 「心《こころ》」の弱《よわ》さを 探《さぐ》り出《だ》す ゲーム!!
これは 杏子《あんず》の「命《いのち》」と オレの「心《こころ》」の思《おも》さが 天秤《てんびん》にかけられた ……
まさしく 「心理《しんり》の秤《はか》り」の ゲームだ!!

ゲームを始《はじ》めよう!!
ゴゴゴゴ
ゴゴオオオ
いったいどんな戦法《せんぽう》でオレの「心《こころ》」をためすつもりなのか…!?
シャーディー!
フフ いくぞ遊戯《ゆうぎ》…!
最初《さいしょ》の試練《ステージ》だ!
ゴゴゴゴ
!!

バキ
ボコ
ボコ
ドド
こ…これは！
地面《じめん》から手《て》が…
!!

く…！
う…
遊戯《ゆうぎ》！
これが お前《まえ》の「心《こころ》」をためす最初《さいしょ》の試練《ステージ》だ!!

遊戯《ゆうぎ》！ お前《まえ》に問《と》う…
それらは「地《ち》を這《は》って柱《はしら》にすがる者達《ものたち》」なり！
その真理《しんり》を答《こた》えよ！
!!?
地《ち》を這《は》って柱《はしら》にすがる…!?
何《なん》のことだ!? ……!?!?
く…!!

うわあああ…
幻想《げんそう》を見《み》ているな… 遊戯《ゆうぎ》…
「心《こころ》」の弱《よわ》さを見《み》せた時《とき》お前《まえ》はその幻想《げんそう》にのみこまれ 像《ウシャブティ》はすべて砕《くだ》け散《ち》ることになるのだ！
闇《やみ》のゲームは「心《こころ》」の弱《よわ》い者《もの》が敗者《はいしゃ》となる… 「千年《せんねん》パズル」に選《えら》ばれたお前《まえ》が それを知《し》らぬハズはあるまい！
その幻想《げんそう》に打《う》ち勝《か》つ方法《ほうほう》は「心《こころ》」を強《つよ》く保《たも》ち私《わたし》の問《と》いに答《こた》え…
その幻想《げんそう》の正体《しょうたい》を暴《あば》くことだ!!
く…!!
それらは地《ち》を這《は》って 柱《はしら》にすがる者達《ものたち》なり…

くそ…これはシャーディーの見《み》せる幻想《げんそう》だ!!
でも…幻想《げんそう》とわかっていてもぬぐい去《さ》ることができない…
これがオレの「心《こころ》」の弱《よわ》さだっていうのか!!
「真理《しんり》を答《こた》えよ」…
そうシャーディーはぬかしやがった…
奴《やつ》の問《と》いに答《こた》えれば幻想《げんそう》は消《き》えるのか…
くそ…あせるな…考《かんが》えるんだ…
奴《やつ》の問《と》いをもう一度《ど》…思《おも》い返《かえ》せ!!
地《ち》を這《は》って柱《はしら》にすがるもの達《たち》…
地《ち》を這《は》うってのはまちがいなくこの亡者《もうじゃ》ども…
…そして
そいつらがすがる柱《はしら》は……
!!
オレだ!!
逆《ぎゃく》に考《かんが》えてみる…
柱《はしら》がたっていて…その地面《じめん》を這《は》うもの…

わかった！
その問《と》いの答《こた》えが!!
幻想《げんそう》の正体《しょうたい》は オレの『影《かげ》』だ!!
ヒュウウウ

フフ…
なんとか
第《だい》一の試練《ステージ》は
クリアした
ようだな…
だが 今《いま》のは
ほんの小手調《こてしら》べ
……
次《つぎ》なる試練《ステージ》は
さらにレベルアップ!
お前《まえ》は心《こころ》の
「強《つよ》さ」を保《たも》っていられるか
!
ゴゴゴゴ
地面《じめん》が
割《わ》れていく!!

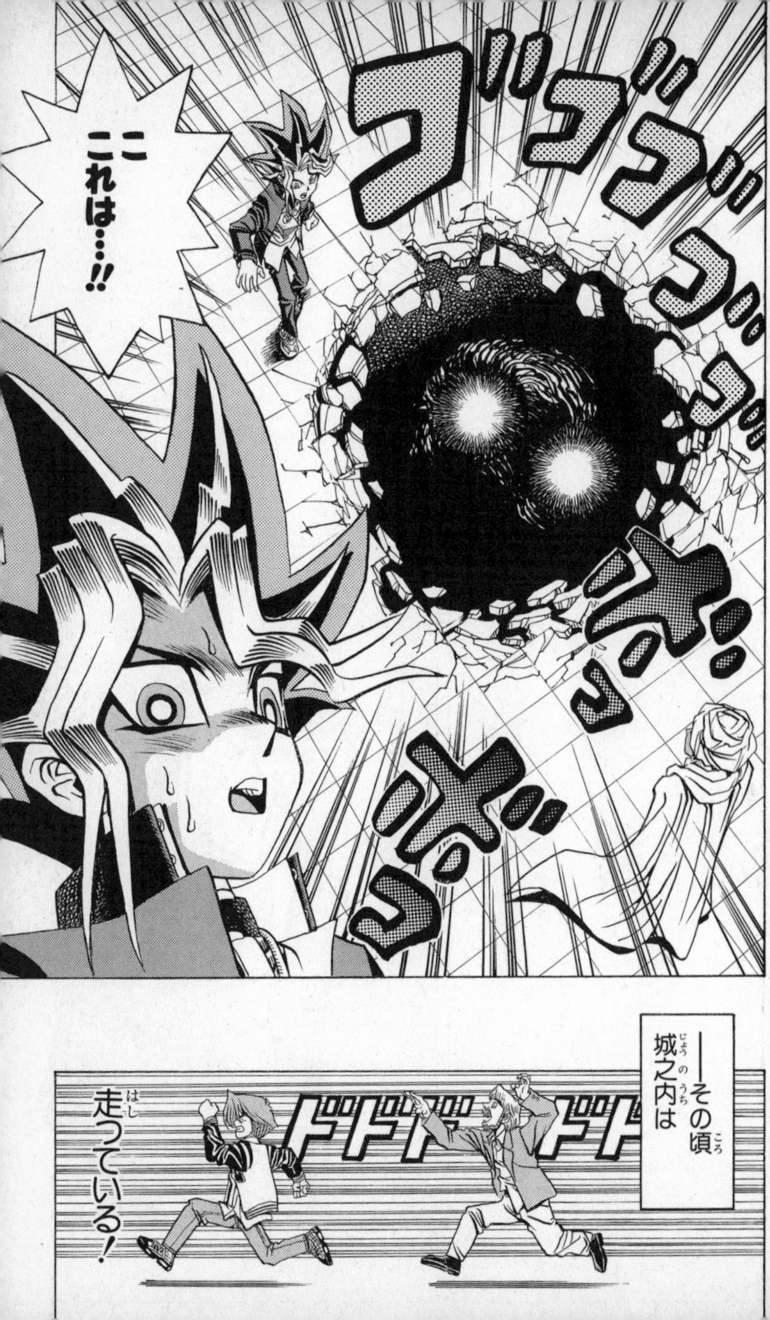
ゴゴゴゴ
ズズッ
ズズッ
こ
これは…!!
――その頃《ころ》
城之内《じょうのうち》は
ドドドド
ドド
走《はし》っている!!

ズズズン
こ…これは!!
遊闘《バトル》18　第《だい》2の試練《ゲーム》
何《なに》か巨大《きょだい》なものが地《ち》に潜《ひそ》んでる！
巨大《きょだい》な何《なに》かが今《いま》にも這《は》い出《だ》して来《き》そうな気配《けはい》がするぜ！
ヤバイ…この場《ば》から離《はな》れなければ!!
ズズン
な!!

しまった!!
ズズズ
ゴゴゴ
ギョ
!!
化《ば》け物《もの》!
遊戯《ゆうぎ》…
逃《に》げることは許《ゆる》されぬ…
お前《まえ》は 今《いま》から第《だい》2の試練《ゲーム》に挑《いど》まねばならぬのだから…
闇《やみ》のゲーム――
「死《し》の神経衰弱《しんけいすいじゃく》」に……
!!
闇《やみ》のゲーム!!

遊闘《バトル》18　第《だい》2の試練《ゲーム》

ゴゴゴ
く…
ミイラの次《つぎ》はワニの化《ば》け物《もの》か…!
この化《ば》け物《もの》もシャーディーの見《み》せる幻想《げんそう》なのか…!!
そのとおり…
お前《まえ》が目《め》にしているその怪物《アメミット》は幻想《げんそう》だ!
幻想《げんそう》とはいえそいつに喰《く》いつかれたら最期《さいご》…お前《まえ》は命《いのち》を失《うしな》うことになる…
魂《たましい》を奪《うば》われてな!
これは余談《よだん》だがそのアメミットは美術館《びじゅつかん》の館長《かんちょう》の魂《たましい》を喰《く》らったばかりで飽食気味《ほうしょくぎみ》のようだが…
!
やはり館長《かんちょう》さんもお前《まえ》が!!
遊戯《ゆうぎ》…お前《まえ》が生《い》き残《のこ》る方法《ほうほう》は試練《ゲーム》をクリアしそのアメミットの幻想《げんそう》を消《け》し去《さ》るしかない!
ゴゴゴ

ではゲームのルールを説明《せつめい》しよう
!!
ドーン☆
!?!?
9枚《まい》の石板《せきばん》が現《あらわ》れた!!
これは一体《いったい》…!?!?
ズズズ

「神経衰弱《しんけいすいじゃく》」というゲームを知《し》っているな…
トランプなどで伏《ふ》せたカードの中《なか》から同《おな》じ数《かず》・絵柄《えがら》を一組《くみ》ずつ選《えら》び出《だ》していくゲームだ！
それらの石板《せきばん》の裏《うら》には それぞれ同《おな》じ絵柄《えがら》が2枚《まい》ずつ記《しる》されている！
ちょっと待《ま》て！
石板《せきばん》は9枚《まい》ある！
神経衰弱《しんけいすいじゃく》をやらそうってのなら1枚《まい》あまるぜ！
フフ…そのとおり… 真《ま》ん中《なか》の石板《せきばん》が1枚《まい》だけあまっている
ゲームとはその真《ま》ん中《なか》の石板《せきばん》の裏《うら》に記《しる》された絵柄《えがら》を答《こた》えること…
その謎《なぞ》を解《と》くことができれば アメミットの幻想《げんそう》は消《き》える…
ただし──
それら9枚《まい》の石板《せきばん》は 1枚《まい》たりとも 裏返《うらがえ》すことは許《ゆる》されぬ！

なに…!?!?
遊戯《ゆうぎ》…
タイムリミットは今《いま》から5分《ふん》!
5分《ふん》たったらアメミットの幻想《げんそう》がお前《まえ》の頭《あたま》に喰《く》らいつく!!
フフ…謎《なぞ》の鍵《かぎ》を教《おし》えよう…
それらの石板《せきばん》はアメミットを映《うつ》す鏡《かがみ》なのだ!
!
化《ば》け物《もの》を映《うつ》す鏡《かがみ》…!?!?!?
さあ遊戯《ゆうぎ》よ!恐怖心《きょうふしん》を振《ふ》り払《はら》いこの謎《なぞ》を解《と》いてみせよ!
中央《ちゅうおう》の石板《せきばん》の裏《うら》の絵柄《えがら》とは!

ゲームスタート!!
ドドド
く…
中央《ちゅうおう》の石板《せきばん》の裏《うら》に記《しる》された絵柄《えがら》…!?
神経衰弱《しんけいすいじゃく》…!?
化《ば》け物《もの》を映《うつ》す鏡《かがみ》…!?!?!?
謎《なぞ》を解《と》く鍵《かぎ》が少《すく》なすぎる!!
わからない!! 恐怖心《きょうふしん》が邪魔《じゃま》をする!!
オレはビビっている!!
!!
くそっ… オレが「心《こころ》の弱《よわ》さ」を見《み》せたら杏子《あんず》の命《いのち》を支《ささ》える像《ぞう》が砕《くだ》け散《ち》ってしまうんだ!!

杏子《あんず》!!
像《ウシャブティ》は残《のこ》り三体《たい》!!
ゴゴゴ
杏子《あんず》!!
オレの命《いのち》に替《か》えても
お前《まえ》を
死《し》なせはしない!
必《かなら》ず
この謎《なぞ》を
解《と》いてみせるぜ!

一方《いっぽう》――
城之内《じょうのうち》は…
ドドド
ドドドドド
ちくしょ～～～～
いいかげんしつこいってのーーーー!!
ウガガ～～～～～
ダッ
!
くっ…
行《い》き止《ど》まり!

……く……
ダダダ
ヒホホ～～～
スト～～ップ!!
だるまさんがコロンだ!!
タイム!!
お預《あず》け!!!
…ヒョ……
お…つうじたみたいだぜ…
おしっ! わかったぜ!
オレも男《おとこ》! 逃《に》げるのはやめだ!!
今《いま》からサシで勝負《しょうぶ》してやっからよ!
よし この部屋《へや》ン中《なか》で決着《けっちゃく》つけようぜ!
オレが先《さき》に入《はい》るから 後《あと》から入《はい》って来《き》やがれ!
ガチャ☆
男《おとこ》! 城之内《じょうのうち》!
正々堂々《せいせいどうどう》勝負《しょうぶ》するぜ!!
ハフゥ

消火器《しょうかき》攻撃《こうげき》ーっ!!
ブピッ
くらえ〜〜ゾンビ教授《きょうじゅ》ー!!
ヒャアアアアア〜〜〜!!
オレの勝負《タイマン》はさ正々堂々《せいせいどうどう》何《なん》でもありなのよ!
グガァァァ
くそっ!

…
ガッ
ニタァ～
!!
え…
お…おい
何《なに》する気《き》だよ
まさか!
やべえって
たしかここ 3階《がい》…

ガシャアン
ウソぉぉぉぉ
ヒュウウゥゥゥ
いやだー
ピン
ゲ!!
状況《じょうきょう》はさらに悪化《あっか》～
ピン
ピン
ピン

バッ
く…
ン…
!!
ゴォオオオ
杏子《あんず》!!
なんだって
あんな所《ところ》に…!!

ガアアッ!!
くっ…
シャレに
なんねーぞ!
この状況《じょうきょう》!!
ゴオオオオ
遊戯《ゆうぎ》!
タイムリミットは
残《のこ》り1分《ぷん》!!

!!
くそ…
このままじゃ
杏子《あんず》もオレも…
ブゴゴゴ…
もう一度《ど》
すべてを
思《おも》い返《かえ》せ!
石板《せきばん》は全部《ぜんぶ》で
9枚《まい》…
その中央《ちゅうおう》の1枚《まい》が
謎《なぞ》となる石板《せきばん》だ!
そして
シャーディーの
いっていた言葉《ことば》
これらの石板《せきばん》が
化《ば》け物《もの》を映《うつ》す
鏡《かがみ》であると…
鏡《かがみ》!!
鏡《かがみ》は
顔《かお》や姿《すがた》を
映《うつ》し出《だ》す!!

そしてこのゲームが「神経衰弱《しんけいすいじゃく》」であるなら…
中央《ちゅうおう》の石板《せきばん》以外《いがい》の8枚《まい》の石板《せきばん》には同《おな》じ絵柄《えがら》が2枚《まい》ずつ4種類《しゅるい》隠《かく》されていることになる!
残《のこ》り30秒《びょう》!!
石板《せきばん》が鏡《かがみ》なら石板全体《せきばんぜんたい》が化《ば》け物《もの》の姿《すがた》を表《あらわ》しているハズだ!
この化《ば》け物《もの》にふたつずつあるものとは何《なに》か!!
そしてひとつしかないものとは…!?!?!?

ふたつあるものは……
眼《め》!!
耳《みみ》!!
鼻孔《びこう》!
手《て》も!!
残《のこ》り5秒《びょう》!!
ひとつしかないもの……
!
そうか答《こたえ》がわかったぜ!!
4!
3!
2!
1!
ひとつしかないもの…それは──

「口《くち》」だ!!!

遊戯《ゆうぎ》よ…よくぞ第《だい》2の試練《ゲーム》を乗《の》り越《こ》えた…
いよいよ最終試練《ファイナルゲーム》だ!
それは今《いま》までのものとは比較《ひかく》にならぬ難関《なんかん》だ!!
最終試練《ファイナルゲーム》ーー!!

ゴォオオオォ
遊闘《バトル》19　最終試練《ファイナルゲーム》
ヒャハ!
くそ──っ! こんなトコまで追《お》っかけてくんなー ゾンビ野郎《やろう》めー!
くっ…
杏子《あんず》…!
ゾォオ

遊闘《バトル》19　最終試練《ファイナルゲーム》

遊戯《ゆうぎ》! ここまで
ふたつの試練《しれん》を
よくぞ乗《の》り越《こ》えた!
少女《しょうじょ》を支《ささ》えている
お前《まえ》の心《こころ》の像《ウシャブティ》も
まだ三体《たい》
残《のこ》っている
だが
次《つぎ》のゲームで
それらは
砕《くだ》かれることに
なるだろう!
ゴゴゴ
!
シャーディーめ
やけに自信《じしん》ありげだぜ…
まるで
オレの弱点《ウィークポイント》を
すでに見切《みき》ったかの
ように…
だが どんな
ゲームを挑《いど》まれようと
心《こころ》の像《ウシャブティ》を砕《くだ》かれる
ワケにはいかない!
杏子《あんず》の命《いのち》が
かかっているんだ!
杏子《あんず》を助《たす》けるためには
シャーディーの心《こころ》の像《ウシャブティ》を
砕《くだ》き「千年錠《せんねんじょう》」を
杏子《あんず》の手《て》に渡《わた》す…
そうすれば
シャーディーの術《じゅつ》を解《と》く
ことができるんだ!

だがどうすれば奴《やつ》の像《ウジャブティ》を砕《くだ》くことができるんだ!?
ズズ
ズズズ
!?
奴《やつ》の心《こころ》の弱点《ウイークポイント》とは…
くそ…それが見《み》つからない!!
フフ……
私《わたし》の心《こころ》の弱点《ウイークポイント》を探《さぐ》ろうとしてもそれは無理《むり》なこと…私《わたし》の心《こころ》の像《ウジャブティ》はたとえるならけっして砕《くだ》かれることのない金剛石《ダイヤモンド》…
そしてお前《まえ》の心《こころ》の像《ウジャブティ》はまるでアラバスター石《せき》のようにもろく壊《こわ》れやすい!
それを次《つぎ》の試練《ゲーム》で思《おも》い知《し》ることになる
!
遊戯《ゆうぎ》!最終試練《ファイナルゲーム》のお前《まえ》の相手《あいて》を紹介《しょうかい》しよう!!

ゴゴゴゴ
!
城之内《じょうのうち》くん!?
あ!

へへ…
ズズズ
その友《とも》は
もうひとりの遊戯《ゆうぎ》の
心《こころ》の中《なか》にある
過去《かこ》の記憶《きおく》が
実体化《じったいか》したもの!!
ゴゴゴ
昔《むかし》
お前《まえ》を
いじめていた頃《ころ》の
友達《ともだち》の姿《すがた》が
目《め》の前《まえ》に
蘇《よみがえ》ったのだ!
なに!
ドクン
過去《かこ》の
城之内《じょうのうち》くん…!!
ドクン
以前《いぜん》遊戯《ゆうぎ》の
心《こころ》を訪《おとず》れた時《とき》
その記憶《きおく》を
垣間見《かいまみ》たのだ!
お前《まえ》が
忘《わす》れてはいても
忌《い》まわしい記憶《きおく》は
どんなに時《とき》が
すぎようが
永遠《えいえん》に心《こころ》の中《なか》に
残《のこ》るもの
遊戯《ゆうぎ》!
最終試練《ファイナルゲーム》とは
その友《とも》との
「死《し》のゲーム」
なのだ!!
「死《し》のゲーム」!!
ゴゴゴ
!!
ゴゴゴ

まわりが断崖《だんがい》の谷《たに》に!!
ゴオオオ
ゲームのルールを説明《せつめい》する!!
二人《ふたり》は交互《こうご》に その「千年《せんねん》パズル」をサイコロがわりに振《ふ》り合《あ》う!
一方《いっぽう》が振《ふ》ったパズルの尖端《せんたん》の向《む》く方向《ほうこう》に相手《あいて》は2マスずつ歩《ほ》を進《すす》めなければならない!
相手《あいて》を先《さき》に谷底《たにぞこ》に落《お》とした方《ほう》が勝《か》ちだ!!
!
なんだと…! 城之内《じょうのうち》くんとそんな危険《きけん》なゲームをさせる気《き》か!!

さあ！遊戯《ゆうぎ》！
その忌まわしい過去《かこ》の記憶《きおく》を打《う》ち破《やぶ》ってみせよ！
く…
ドン
間違《まちが》いなくこの城之内《じょうのうち》くんはシャーディーの見《み》せる幻想《げんそう》だ…
だが…万《まん》にひとつの可能性《かのうせい》だがシャーディーの術《じゅつ》にかかった本物《ほんもの》の城之内《じょうのうち》くんだったら……
城之内《じょうのうち》くん！こんなゲームやめようぜ！
城之内《じょうのうち》くん！
けっ…これがお前《まえ》の宝物《たからもの》かよ～～！
遊戯《ゆうぎ》～
ったくよ～～女《おんな》じゃあるまいしこんなもン大事《だいじ》にしやがってよ～～～

ドクン!
グラァ
杏子《あんず》ーっ!!

よかった…杏子《あんず》は無事《ぶじ》だぜ!!
……!
よかった…像《ぞう》が一体《いったい》残《のこ》っていてくれたぜ!
城之内《じょうのうち》くんの言葉《ことば》にもうひとりのオレが過去《かこ》を思《おも》い出《だ》して反応《はんのう》してしまったんだ…
もうひとりのオレの心《こころ》にゆさぶりをかける…それがシャーディーの狙《ねら》いだ
これ以上《いじょう》心《こころ》の迷《まよ》いがあったらオレの負《ま》けだ!!
遊戯《ゆうぎ》!このパズル返《かえ》してほしいのならゲームでオレに勝《か》つしかないみてえだぜ!
ならオレからいくぜー!

パズルの尖端《せんたん》はお前《まえ》の方向《ほうこう》！
遊戯《ゆうぎ》！谷底《たにぞこ》に向《む》かって2マス進《すす》め!!
ゴオオオ
遊戯《ゆうぎ》お前《まえ》の番《ばん》だぜ！
オレは振《ふ》らない！
こんなゲーム城之内《じょうのうち》くんとはやりたくない!!
!!
バカな…みずから谷底《たにぞこ》に落《お》ちる気か!?
…じゃあパスってことかよ
じゃあオレの番《ばん》な！
カン
また谷底《たにぞこ》に向《む》いたぜ！

いよいよリーチだ…
次《つぎ》のパズルの向《む》き次第《しだい》で谷《たに》に落《お》ちちまうぜ!
まさか…次《つぎ》もパスする気《き》じゃ…
オレはパスするぜ!
!!
ゲームを放棄《ほうき》するだと!?
敗北《はいぼく》を認《みと》めたのか!!
敗北《はいぼく》…!?
そいつは違《ちが》うぜシャーディー!
オレは信《しん》じたのさ!
友達《ともだち》を!!

信《しん》じるだと……フフ
遊戯《ゆうぎ》――お前《まえ》は「過去《かこ》」を打《う》ち破《やぶ》ることができなかった
お前《まえ》の敗北《はいぼく》だ!
この最終試練《ファイナルゲーム》でお前《まえ》に 問《と》われていたこと…
それは人《ひと》を信《しん》じすぎる心《こころ》の弱《よわ》さだ!
人《ひと》の信頼《しんらい》などウシャブティよりももろく壊《こわ》れやすい!
まして友情《ゆうじょう》など心《こころ》の弱《よわ》い者同士《ものどうし》が寄《よ》りそい合《あ》うなぐさめ合《あ》う愚《おろ》かなものでしかない!
自分《じぶん》だけを信《しん》じることが真《しん》の心《こころ》の強《つよ》さなのだ!
お前《まえ》がその友《とも》を谷《たに》につき落《お》とすことができたなら真《しん》の強《つよ》さを得《え》られたものを…
さあ!最後《さいご》のパズルを振《ふ》れ!
ゲームの終焉《しゅうえん》だ

ム…
なぜパズルを投《な》げない!
!
バカな…過去《かこ》の幻想《げんそう》が消《き》えていく…
友達《ともだち》に今《いま》も昔《むかし》もありはしないさ!
友達《ともだち》は自分《じぶん》が信《しん》じれば必《かなら》ず信《しん》じてくれる!!

キリ★
キリ★
杏子《あんず》!
ドド!!
なにっ!! 杏子《あんず》を支《ささ》えるロープが!!!
キリ★
キリ★
キリ★

うおりゃあああ!!
杏子《あんず》――
オレが来《き》たから
には もう大丈夫《だいじょうぶ》
だぜ――!!

!!!!
城《じょう》之《の》内《うち》くん!!
なにいい!?

バカな…
まるで…
この者《もの》たちは
互《たが》いを
支《ささ》え合《あ》っている
ようだ……
ピキ
ドクン
わ…
私《わたし》の心《こころ》の
像《ウシャブティ》が……!!
シャーディー
お前《まえ》には
わからないだろ
うが……
…!
「心《こころ》」の本当《ほんとう》の
強《つよ》さは
自分《じぶん》を
信《しん》じることだけでは
得《え》られない!

友《とも》を信《しん》じる力《ちから》
それが本当《ほんとう》の心《こころ》の強《つよ》さなんだ!!
……!!
友《とも》を信《しん》じる力《ちから》
ピシ

杏子《あんず》ーーっ!!!
城之内《じょうのうち》くん!!
遊闘《バトル》20　決着《けっちゃく》

遊闘《バトル》20　決着《けっちゃく》

友《とも》を
信《しん》じる力《ちから》だと…!!!
!!
私《わたし》の像《ウシャブティ》が砕《くだ》け散《ち》った!!!

シャーディーの
像《ぞう》が砕《くだ》けた!!
「千年錠《せんねんじょう》」が
ロープをつたい
杏子《あんず》の手《て》に
渡《わた》る!!
シュルル

ガッ
あれ…
ここどこ…
…
ドド～ン
!

ギャアアアアア〜〜〜
ズン
いやぁぁぁ〜
く…
お…おい
杏子《あんず》〜〜！
重《おも》てえんだよ!!
早《はや》くヘリにのぼれ！
!!
ズル
ズル
城之内《じょうのうち》〜!?!?
あ…あんた
なんでそんな所《とこ》に
いるの？
うるせ〜
こっちが
聞《き》きてえんだよ
それを〜〜〜
プル
プル
でも
やだ〜〜
コワい〜
動《うご》けな〜い
お前《まえ》な〜

ゾンビ教授《きょうじゅ》〜〜!!!
ズル
ズル
のぼって来《く》るか〜〜フッ〜〜!
ヒャハァァ〜〜〜
ググ
杏子《あんず》!
早《はや》くしろ!!
わかったわよ
レッツトライ!
下見《したみ》ない下見《したみ》ない…

くっ…
杏子《あんず》！急《いそ》げ！
足《あし》ひっぱられて…これ以上《いじょう》支《ささ》えられねえんだよ
く…
もうだめだ…
ガタッ

ギッ
杏子《あんず》!
ハッ
!

え…!?
遊戯《ゆうぎ》…
よかった…
杏子《あんず》は助《たす》かったようだぜ…!
ウガ
あとは
こいつをなんとか
しねえと…!
城之内《じょうのうち》くん!
その十字架《じゅうじか》の鍵《かぎ》を
教授《きょうじゅ》の手《て》に!
え…
お おう!
え…
遊戯《ゆうぎ》…!?
!
あれだな!

…ン
!?
教授《きょうじゅ》…
正気《しょうき》に戻《もど》ったのか…
あれ…
おや…城之内《じょうのうち》くんだったかな…
あいさつなんざいーから…
下見《したみ》るなよな!
…!!
こ…これは
ギャアアアア
歯《は》がない〜

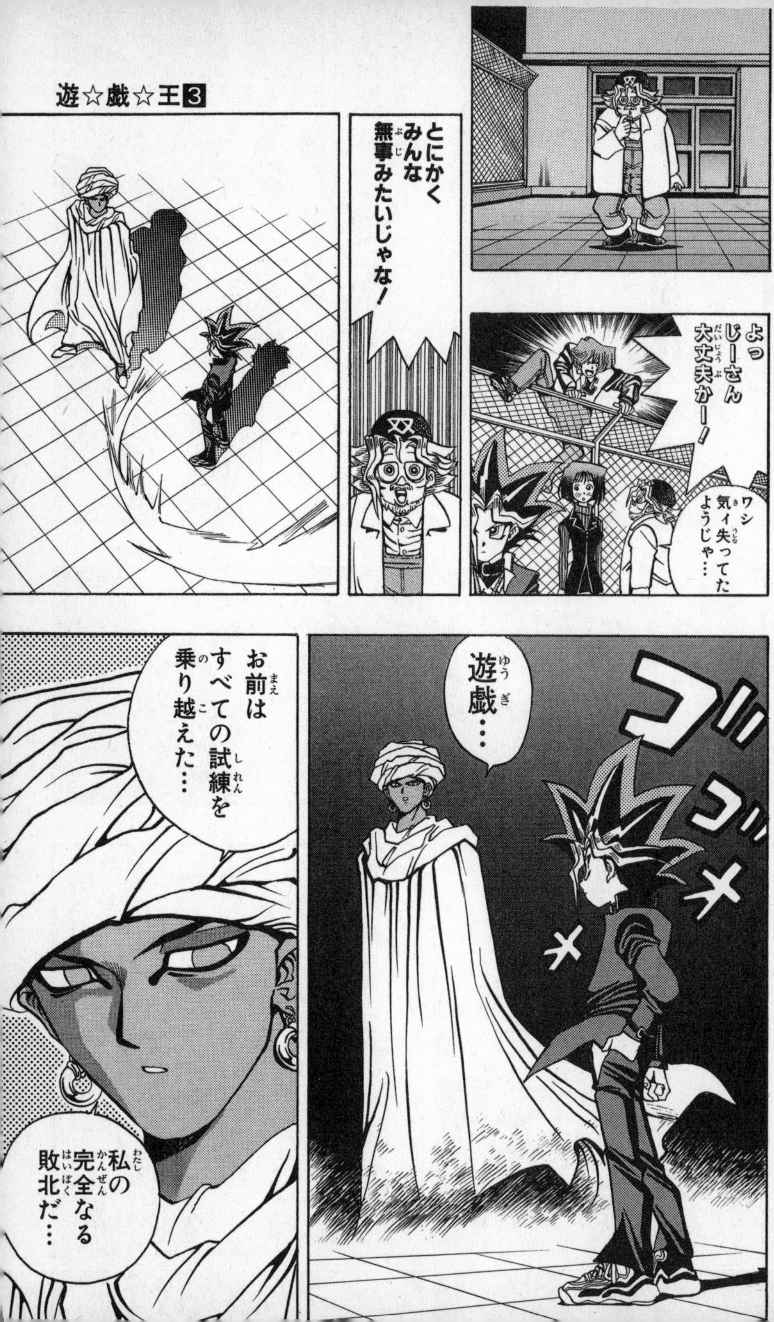
よっ じーさん 大丈夫《だいじょうぶ》かー!
ワシ 気《き》ィ失《うしな》ってたようじゃ…
とにかく みんな 無事《ぶじ》みたいじゃな!
遊戯《ゆうぎ》…
ゴゴ
お前《まえ》は すべての試練《しれん》を 乗《の》り越《こ》えた…
私《わたし》の 完全《かんぜん》なる 敗北《はいぼく》だ…

千年《せんねん》物《アイテム》の力《ちから》によってお前《まえ》にはいくつかの幻想《げんそう》を見《み》せた…
闇《やみ》にいざなう幻想《げんそう》を…
だが私《わたし》にとって…
この現実《げんじつ》で互《たが》いを信頼《しんらい》し互《たが》いを助《たす》け合《あ》う君《きみ》たちの仲間《なかま》の姿《すがた》が幻想《げんそう》に見《み》えてしまう…
それは悲《かな》しいことなのかも知《し》れないな…
シャーディー
オレには「千年《せんねん》パズル」の力《ちから》ってやつが何《なに》かわかったような気《き》がする…

……！
どんなに離《はな》れてバラバラになってもひとつになることができる仲間《なかま》！
たとえ小《ちい》さなかけらだって束《たば》ねれば大《おお》きな力《ちから》になる！
それはまさしくパズルだ！
結束《けっそく》の力《ちから》！
それが「千年《せんねん》パズル」の力《ちから》だぜ!!
!! 結束《けっそく》の力《ちから》

ドーン

おい ターバン野郎《やろう》！
ここはオレたちの領域《りょういき》だぜ！
てめえじゃ入《はい》って来《こ》れねーな！
ああ…そのとーりだな…
遊戯《ゆうぎ》…
お前《まえ》は私《わたし》の試練《しれん》を乗《の》り越《こ》えた…
敗《やぶ》れはしたが私《わたし》は うれしいのだ…
なぜなら――
我《わ》が血族《けつぞく》は ずっと探《さが》し求《もと》めていたのだ……
お前《まえ》のような者《もの》を――
!?

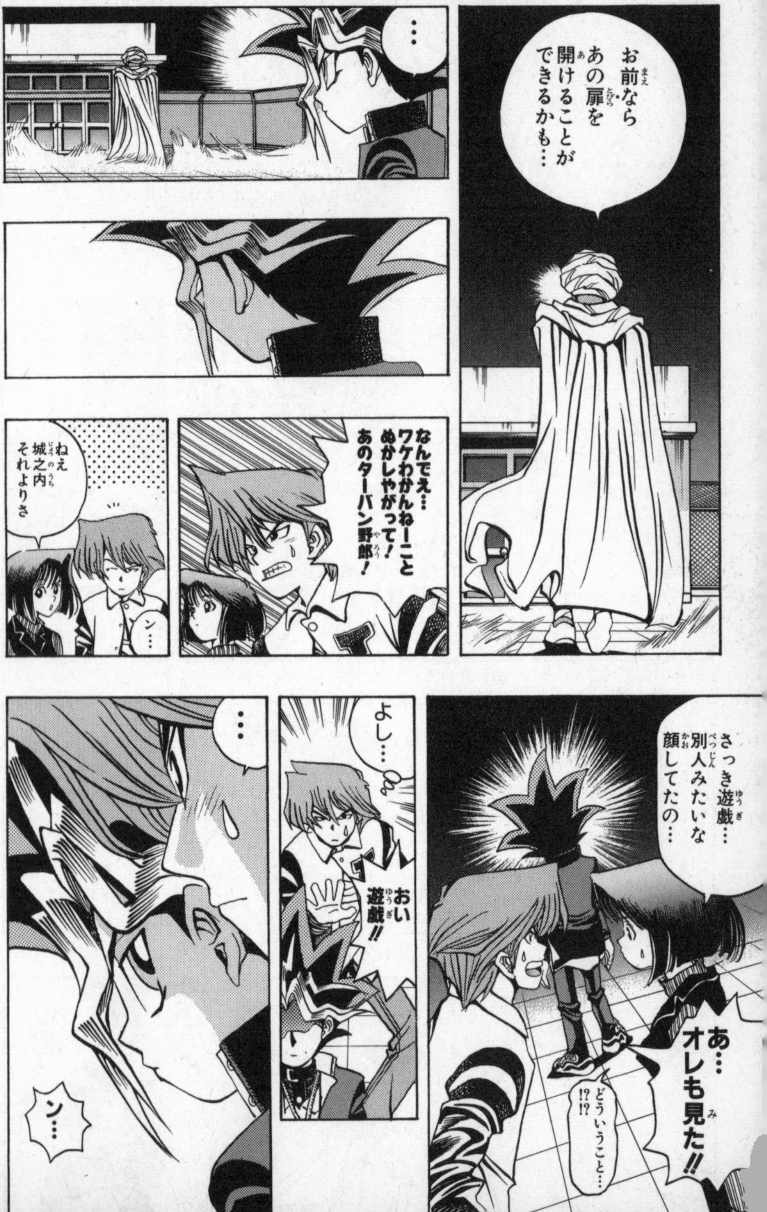

お前《まえ》なら
あの扉《とびら》を
開《あ》けることが
できるかも…
…
なんでえ…
ワケわかんねーこと
ぬかしやがって!
あのターバン野郎《やろう》!
ねえ
城之内《じょうのうち》
それよりさ
ン…
さっき遊戯《ゆうぎ》…
別人《べつじん》みたいな
顔《かお》してたの…
あ…
オレも見《み》た!!
!?
!?
どういうこと…
よし…
おい
遊戯《ゆうぎ》!!
…
ン…

どーしたの？城《じょう》之《の》内《うち》くん…
え…あ…どーもしやしねーよ！
う…うん
気《き》のせいか…
みなさん…私《わたし》の研究室《けんきゅうしつ》に遊《あそ》びに来《き》て下《くだ》さったのにろくなおもてなしもできませんで……
なんか記憶《きおく》が飛《と》んでて
体《からだ》のふしぶしがいたい…
吉森教授《よしもりきょうじゅ》…すっかり変《か》わりはてて…
杏子《あんず》…お前《まえ》だぜ！歯《は》折《お》ったの！
なにいってんのよ――！私《わたし》は二本《ほん》だけよ!!
よーしこれからみんなで食事《しょくじ》に行《い》こーかの！
ワシおごるゾ！
やったー！
ハンバーガーがいいなー！

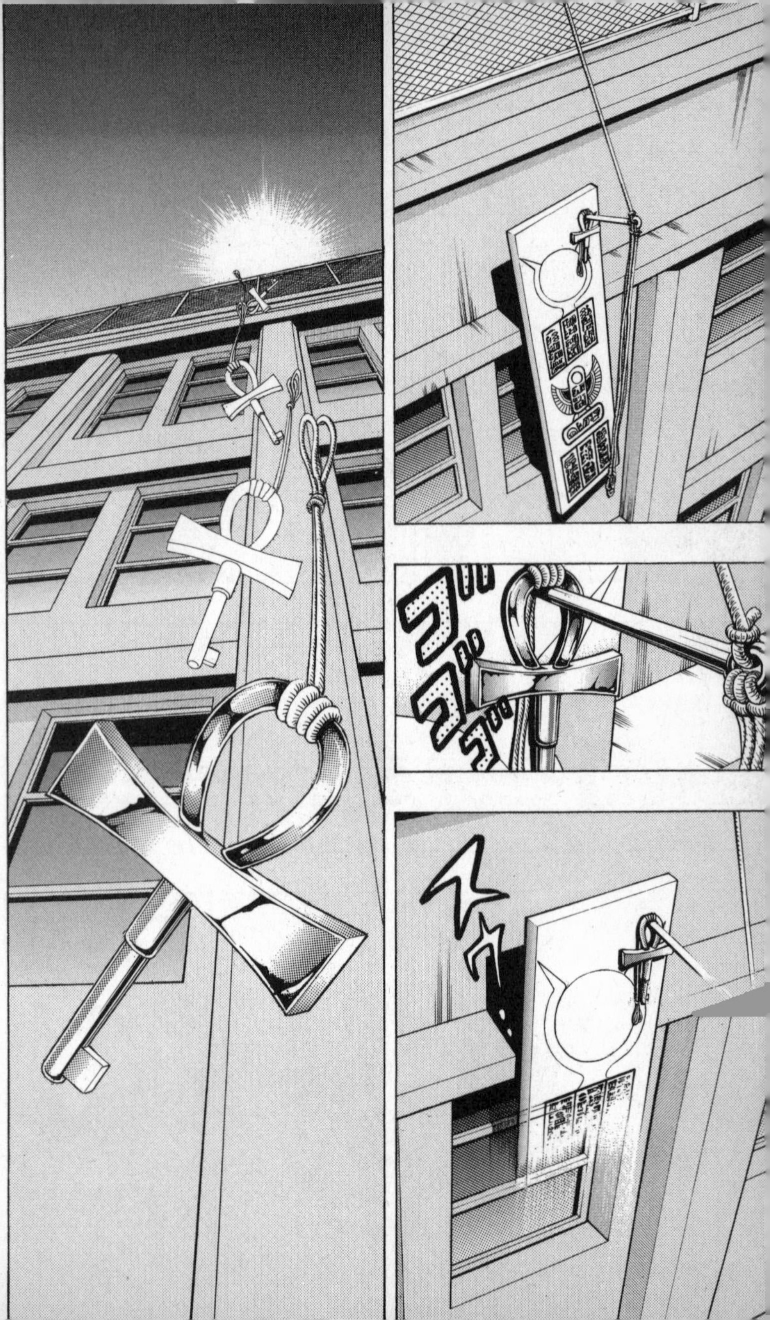
ゴゴゴ
スク

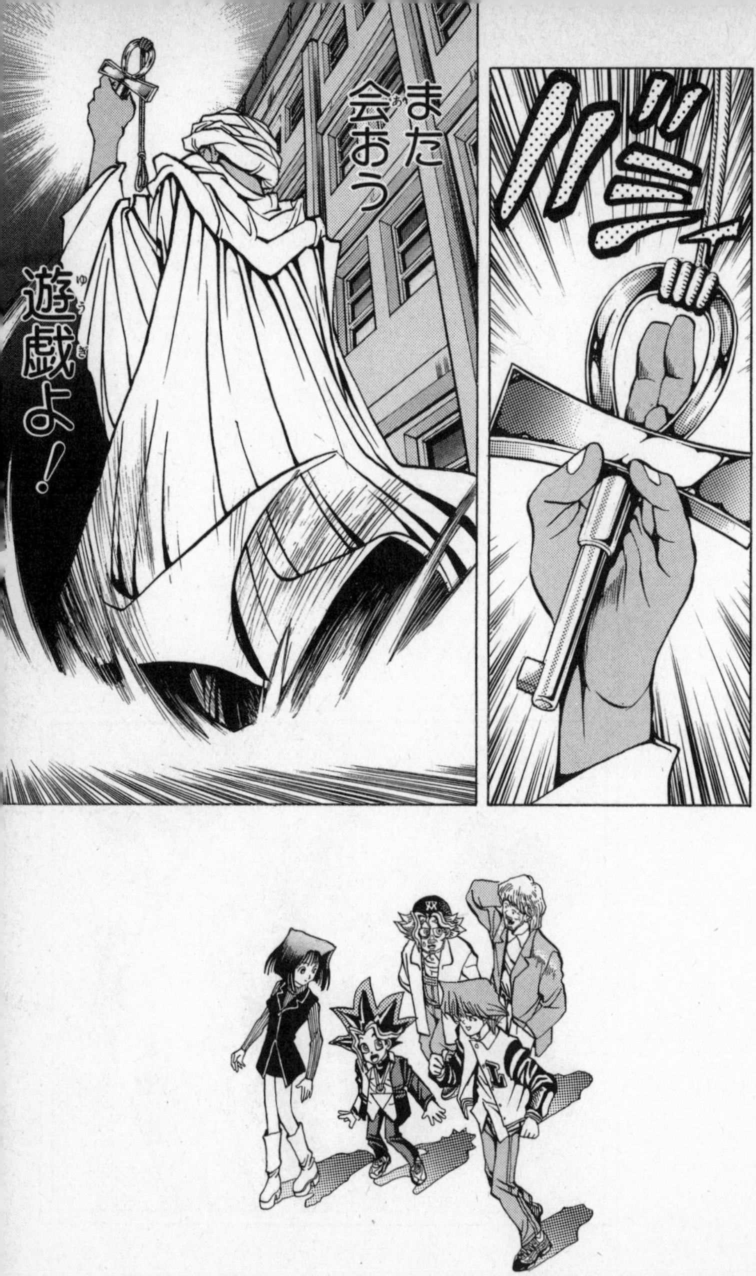

また会《あ》おう
遊戯《ゆうぎ》よ!
ハミィ

今《いま》 学校《がっこう》では
キーホルダーゲームが
大流行《だいりゅうこう》！
ピ
聞《き》いてよ～～ 私《わたし》のペット ウンチの世話《せわ》 忘《わす》れて死《し》んじゃった の～～～～
だめよ～～ ウンチはこまめに かたづけないと ～～～～
その中《なか》でも とくに人気《にんき》が あるのが 携帯《けいたい》ペット飼育《しいく》 ゲーム――
デジタル・ペット君《くん》
液晶《えきしょう》画面《がめん》の中《なか》で 謎《なぞ》の生物《せいぶつ》を育《そだ》てる シミュレーション ゲームだ！
遊闘《バトル》21 デジタルペット対決《たいけつ》
オース 遊戯《ゆうぎ》！ ペットの調子《ちょうし》 どうだ～～！
うん 快調《かいちょう》だよ！ 城之内《じょうのうち》くんのは？
元気《げんき》 元気《げんき》～～!!

キャ～
かわいい～～
エサ喰《く》ってるぜー!!
飼《か》い主《ぬし》に似《に》るって本当《ほんとう》ねー!
ハハハー こいつ遊戯《ゆうぎ》にソックリじゃん!
エヘへ…そーかな U2《ユーツー》って名前《なまえ》なんだ!
こんなデジタルのペットでも世話《せわ》をしているうちに愛着《あいちゃく》がわいてきちゃうから不思議《ふしぎ》だねー
城之内《じょうのうち》くんのペットも見《み》せてよ
おー いいぜー!
かわいくねーっ
なまいきそーなトコが似《に》てる!!
うるせ──っ!
飼育《しいく》の仕方《しかた》で飼《か》い主《ぬし》の性格《せいかく》がそのままペットに現《あらわ》れちゃうんだってさ!
ペットの形態《けいたい》も無数《むすう》にあるから個性《こせい》も千差万別《せんさばんべつ》!
そこがおもしろいよねー!

本田《ほんだ》くんは興味《きょうみ》ないの？デジタルペット…
オレはわかんねーっつーか……
家《いえ》で 番犬《ばんけん》飼《か》ってっから…
生身《なまみ》の世話《せわ》でそれどこじゃねーって感《かん》じー
でも 最近《さいきん》さかりがついて困《こま》っちゃってさ！
デジタルだとそのヘンの世話《せわ》はラクそーだけどな
でも これも交配機能《こうはいきのう》がついてるんだよ！
なに！
そうすると友達同士《ともだちどうし》でペットの性格《せいかく》データの交換《こうかん》ができるんだ！
だからもっと個性的《こせいてき》なペットができちゃったりするんだ――！
ホラ…本体《ほんたい》に接続端子《せつぞくたんし》がついてるでしょ！
あ ホントだオレのにもついてるぜ！
接続端子《せつぞくたんし》
こーやって友達《ともだち》のと合体《がったい》させる…
知《し》らなかった……
よし！さっそく オレと遊戯《ゆうぎ》のを交配《こうはい》させよーぜ！
うん！
なんかハタから聞《き》くとやな会話《かいわ》だな……

合体《がったい》ーッ！
ガキーン!!
U2《ユーツー》はおとなしいから城之内《じょうのうち》くんのワイルドな性格《せいかく》データをもらいたいな！
…
お…見合《みあ》ってる見合《みあ》ってる…
あ オレのペットが画面《がめん》から消《き》えた…
ボクの画面《がめん》に現《あらわ》れたよ！
城之内《じょうのうち》くんのペットがアプローチをかけてきたんだ
!!
いじめてるー!!
ピー
ったくサイテーな奴《やつ》だぜーっ
やっぱあんたにソックリ!!
なさけない…

ピッピッ
?
あ…でも お互《たが》いに 気《き》が合《あ》った みたいだよ!
この音《おと》が鳴《な》ったら データ交配《こうはい》は 終《お》わったってコト なんだ!
お… オレのペットが 帰《かえ》ってきたぜ
これで これからの 成長過程《せいちょうかてい》に なんらかの変化《へんか》が 起《お》こるハズ…
今《いま》よりもっと 個性的《こせいてき》な ペットに なるかもね!
U2《ユーツー》みたいに 少《すこ》しは かわいくなり やがれ!
フフ… 城之内《じょうのうち》くんから どんなデータを 受《う》けとったんだい?
U2《ユーツー》
へへ…
ピピピッ
これが ボクの ご主人《しゅじん》サマ!
ピ

ピピッ!
ピピ～～
ピピーー
あれっ!?
なんだか脅《おび》えているようだぞ!
おい遊戯《ゆうぎ》!!
お前《まえ》らボク様《さま》のペットを拝見《はいけん》したいか～?
ケケ
ボク様《さま》の優秀《ゆうしゅう》なペットをさぁ～～～!
あ!鯨田《くじらだ》くん!
鯨田《くじらだ》くんもデジタルペットを飼《か》っているの!?

あったり前《まえ》だろーっ!!
だがなー お前《まえ》らのペットのような ヘーボンなペットとは大違《おおちが》いなんだぜー！
おい鯨田《くじらだ》！ お前《まえ》のペットだけ格《かく》が違《ちが》うよーなこといってるけどよ
血統書《けっとうしょ》でもついてんのか…てめえのペットによ
フフ
お前《まえ》ら知《し》ってるか? このデジタル・ペット君《くん》には「隠《かく》れキャラ」が存在《そんざい》するってさ！
隠《かく》れキャラ!?
「隠《かく》れキャラ」が出現《しゅつげん》する確率《かくりつ》は数万分《すうまんぶん》の一…
裏《うら》データによれば偶発的《ぐうはつてき》なバグか…はたまたウイルスか……それは謎《なぞ》なんだがね——！
しつけ方法《ほうほう》… エサを与《あた》える時間《じかん》の間隔《かんかく》… 飼《か》い主《ぬし》の性格《せいかく》など それらの偶然性《ぐうぜんせい》が一致《いっち》した時《とき》 そいつは出現《しゅつげん》するのさ！

そして ボク様《さま》は
そいつを
見《み》つけたのさ！
究極《きゅうきょく》の「隠《かく》れペット」を
ね――!!
フーン
ケッ……くやしいけど
見《み》てみてーぜ
…
へー
鯨田《くじらだ》くん
そのペットを
見《み》せてくれない！
まあ…
いいけど
……
どれどれ…
プ…
オレのより
ブサイク
じゃん〜〜！
迫力《はくりょく》ある〜
性格《せいかく》
ワルそ〜
でもよ――
こいつが その
「隠《かく》れキャラ」って
証拠《しょうこ》はどこに
あんだよ

裏《うら》データによれば「隠《かく》れキャラ」のグラフィックには星形《ほしがた》のマークが現《あらわ》れるという…
よく見《み》てみな!
あ! ホントだ! 星《ほし》のマーク!!
それと もうひとつ… お前《まえ》らのペットの寿命《じゅみょう》はよくて二十日間《はつかかん》……
!!
だが ボク様《さま》のペットはすでに二ヵ月以上《げついじょう》も生《い》きているのだ――!
だから いったろう! これは ボク様《さま》だけの究極《きゅうきょく》のペットだとね――
ケケケ
でも ペットって人《ひと》それぞれ愛着《あいちゃく》があるんだから それって 自慢《じまん》にならないわよ!
鯨田《くじらだ》くん!
フン 負《ま》け惜《お》しみか……
コツ コツ
…
ピピ ピ!
どうしたのかな… U2《ユーツー》のやつ さっきから すごく脅《おび》えてる…

鯨田《くじらだ》の家《いえ》
グ…
ビ〜ビ〜
ウ〜〜〜ン…
なんだい…
またエサかい
?
五分前《ふんまえ》に
あげたばかり
じゃないか…
ピピピ
これじゃあ
眠《ねむ》れやしない…
ホラ
エサだよ…
ピ
よく
食《た》べるな
〜〜〜…
パクパクパク
でも…
さっきより
大《おお》きくなってる
気《き》がするぞ……
パクパク

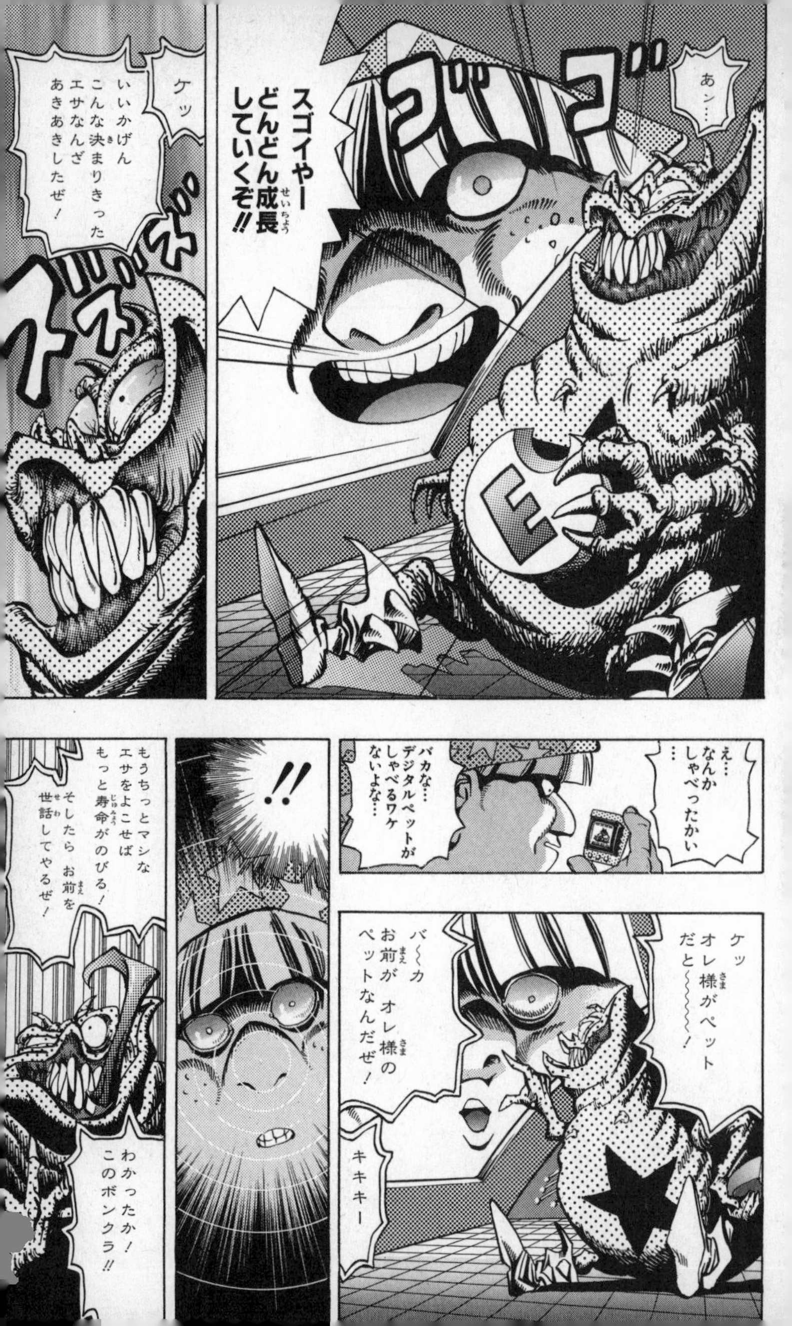
あン…
ゴ ゴ
スゴイやー どんどん成長《せいちょう》していくぞ!!
ケッ
いいかげん こんな決《き》まりきった エサなんざ あきあきしたぜ!
え… なんか しゃべったかい…
バカな… デジタルペットが しゃべるワケ ないよな…
ケッ オレ様《さま》がペットだと~~~~!
バ~カ お前《まえ》が オレ様《さま》の ペットなんだぜ!
キキキー
!!
もうちっとマシな エサをよこせば もっと寿命《じゅみょう》がのびる! そしたら お前《まえ》を 世話《せわ》してやるぜ!
わかったか! このボンクラ!!

翌日《よくじつ》ーー
ガーーン
ゲーオレのデータが消《き》えてるー!
どうしたの城之内《じょうのうち》くん!
ちょっと教室《きょうしつ》出《で》てた間《あいだ》にオレのペットが消《き》えちまったんだ!
なんだってー!?
ホントだ画面《がめん》になにも映《うつ》ってない!!
フフ
ゲプゥ
キキ…やっぱ他《ほか》のペットはウマいぜ!
なんたって栄養価《えいようか》が違《ちが》うぜェ
だが喰《く》ったばかりだってのにもう腹《はら》ペコだぜ~~~!
また オレ様《さま》のペットを呼《よ》ぶか!

ピー
ピー
エサがほしいんだね……
ビービー
ねえ真崎《まざき》サン…
君《きみ》のペット貸《か》してくれよ…
…!
いやよ!!
貸《か》せ～!!
バッ
キャッ!
ケケー
たくさんお食《た》べ～!
カチッ
ピーピー
グヘヘ…
エサだー

ククク…食《た》べた 食《た》べたぁ〜
おいしかったかい〜〜
わ…私《わたし》のすももちゃんが〜〜!
鯨田《くじらだ》くんのペットが杏子《あんず》のペットを飲《の》み込《こ》んだ!?
ビー!ビー!
ま…また…
お腹《なか》がすいたって〜
遊戯《ゆうぎ》!お前《まえ》のペットも貸《か》せ〜!
あ!
喜《よろこ》べーっ!究極《きゅうきょく》のペットの一部《いちぶ》になれるんだぞーー ケケケー

キキキー
これまた
ウマそーな
ペットだぜ~
U2《ユーツー》!!
喰《く》ってやるぅ~
ワハハハハー
ピー
ピー
逃《に》げろー!
U2《ユーツー》!
ピーピー
ドドドドド
無駄《むだ》だー!
オレ様《さま》は
こー見えても
フットワークには
自信《じしん》があるのだ!
ピーピー

ダメだ…おいつかれる！
U2《ユーツー》！
つかまえたぞ——!!
ガッ
ピー
いただきまぁぁぁあ…
ガバァ
U2《ユーツー》…
もうダメか…
ピピピ
ン…
この音《おと》は!?

!!
この音《おと》はペットが成長《せいちょう》して形態《けいたい》が変《か》わる時《とき》に鳴《な》る音《おと》だ!!
ピピピ
あン
進化《しんか》するのか!U2《ユーツー》!
ゴゴゴ
…!?
な…なに…
すごいエネルギーを感《かん》じるぞ…

ドゴオォ
ぐわぁぁ〜〜!!
スゲぇぞー!
U2《ユーツー》の野郎《やろう》いきなり変身《へんしん》して強《つよ》くなったぜー!
きっとあの時《とき》の城之内《じょうのうち》くんのペットのデータが加《くわ》わったから強《つよ》くなったんだ!
はっ…
あ…あれ!?
ボク様《さま》のペットがいなくなったのは悲《かな》しいけど…
これでぐっすり眠《ねむ》れるな…

だけど──
モグモグ
このデジタルペットにも寿命《じゅみょう》がある…U2《ユーツー》もプログラム上《じょう》明日《あした》の朝《あさ》には消《き》えてしまうんだ…
たくさんエサ食《た》べろよなU2《ユーツー》
モグモグ
ピー
こーして…
朝《あさ》まで君《きみ》を見ていていいかい?U2《ユーツー》……

ピー

遊闘《バトル》22

アメリカン・ヒーロー

《前編《ぜんぺん》》

HELP ME!《ヘルプ ミー》
(助《たす》けて!)
GUFUFUFU…《グフフフ》
(グフフフ…)
OH NO!《オー ノー》
(やめて…)
HAHAHAHAAA…《ハハハハアア》
(ハハハハ…)
GYO
WHO ARE《フー アー》
YOU!?《ユー》
(誰《だれ》だ!?)
URYAAAA—《ウリヤアアア》
(ウリャ——)
BUSH!

BUKOOON!
UGYAAA《ウギャアア》…
（ウギャアア…）
I'M《アイム》
ZOMBIRE《ゾンバイア》!
（私《わたし》はゾンバイアだ！）
I LOVE YOU《アイラブユー》!
（愛《あい》してるわ！）
カッチョいい〜〜〜!!!
ZOMBIRE

ね！カッコいいでしょ！ゾンバイアって
へーー 花咲《はなさき》くんがアメコミのコレクターだったとは知《し》らなかったよ！
ゾンバイアはアメリカで すごい人気《にんき》のコミックなんです！
ボク 昔《むかし》からアメコミのヒーローが大好《だいす》きだったんです！
特《とく》に このゾンバイアにはハマリっぱなしですー！
でも アメリカのマンガって どうして こう筋肉男《マッチョ》ばかり出《で》て来るのかしら…
…ム
ゾンバイアは ただの筋肉男《マッチョ》じゃありませ～～ん!!
もとは 死神《しにがみ》だった彼《かれ》は 人間《にんげん》の愛《あい》に目覚《めざ》め 人間《にんげん》のために悪《あく》と戦《たたか》うのですー！
しかし…彼《かれ》は正義《せいぎ》になればなるほどその仮面《かめん》に隠《かく》された素顔《すがお》は ゾンビのように醜《みにく》くなって 命《いのち》まで削《けず》られていくのです！
しかし彼《かれ》は悪《あく》にたちむかう！カッコいいぞーー!!その名《な》はゾンバイアだ！

…
ハッ!
す…すいません…
ゾンバイアのことになると つい興奮《こうふん》してしまいます…
いや!夢中《むちゅう》になるっていいことだぜ!
うん!
ボクン家《ち》の店《みせ》でもゾンバイアのフィギュアとか最近《さいきん》よく売《う》れてるみたいだよ!
ガレージキットとかもあるのかな…
みなさん!それならボクの家《いえ》に来《き》ませんか!
ボクのコレクションをお見《み》せします——!
うん!
おう見《み》せてくれよ花咲《はなさき》~~~!
ハイ~~~
花咲《はなさき》くんの家《いえ》

スゲー!! ゾンバイア だらけだぜー!!
これ 全部《ぜんぶ》 花咲《はなさき》が 集《あつ》めたのかー!
実《じつ》は ボクのパパが ずーっと アメリカで 仕事《しごと》してて 日本《にほん》に 帰《かえ》って来《く》るたびに 買《か》って 来《き》てくれるんです
これなんか スゴイよー!
レア物《もの》の ゴールドフィギュアだ 日本《にほん》じゃ 絶対《ぜったい》 手《て》に入《はい》らないぜー!
ガチャ

みなさん いらっしゃい!
アメリカ直輸入《ちょくゆにゅう》のゾンバイアスナックを召《め》しあがってね!
おじゃましてまーす!
ゾ…ゾンバイアスナック…!?
友也《ともや》が こんなにたくさんのお友達《ともだち》を連《つ》れて来《く》るのは初《はじ》めてね!
でも もうひとり友也《ともや》のビックリするお客《きゃく》さんがいるわよ!
え…!?
フフ…
わははは ゾンバイアだ——!!
!!!
あ…パパ!
パ…!!!
いつ帰《かえ》って来《き》たの!
今《いま》だ 今《いま》——

パパ それ…ゾンバイアのリアルマスクだね!
わははは
ああ!
友也《ともや》がほしかってたやつだぞー
高《たか》かったでしょーコレ…
いいんだ友也《ともや》が喜《よろこ》んでくれるならな…
よーしさっそくコスプレしてみんなを驚《おどろ》かしてやろう…
みんなお茶《ちゃ》でも飲《の》んでて下《くだ》さい――!
ゾンバイア一家《いっか》だな…
ズズ~
お!ゾンバイアのガレージキットだぜ――!
まだ作《つく》ってないぜ!
なあにガレージキットって…
キャラクターのプラモみたいなものだよ
原型師《げんけいし》っていうプロのモデラーが元《もと》のデザインを作《つく》るからできあがりが超《ちょう》カッコいいんだ!
花咲《はなさき》もゾンバイアのコレクション集《あつ》めで作《つく》るヒマがねえんだな!
よーしここはオレが作《つく》ってやるぜー!
ソフトビニール製《せい》のガレキだな!
ガラガラ

まず 部品《ぶひん》を
お湯《ゆ》につけて
形《かたち》を整《ととの》えるぜ――!
部品《ぶひん》を温《あたた》めたトコで――
本体《ほんたい》以外《いがい》のいらない部分《ぶぶん》を切《き》り取《と》る!
できたぜ! カッコいいー!!
部品《パーツ》を接着剤《せっちゃくざい》でくっつけてー
ラッカー系《けい》スプレー塗料《とりょう》で色《いろ》づけして完成《かんせい》だぜー!
SPRAY
あ――!!
あ――!!
なんで作《つく》っちゃったの~~!!
箱《はこ》のままとっておこうと思《おも》ったのに~
え…マズかったの~~~!?
花咲《はなさき》くんカッコいいよ!
花咲《はなさき》…そんな格好《かっこう》で泣《な》くなよ…
おじゃましたー!

花咲《はなさき》 ゴメンな… ガレキ…
ううん いいです! すごく カッコよく できたから…
あー 楽《たの》しかった
それじゃあ バイバイ!
また 明日《あした》…
あ… あの…
みなさん…
いつまでも 友也《ともや》の友達《ともだち》で いてやって 下《くだ》さい!
お… お願《ねが》いします…
!?
花咲《はなさき》くんは ずーっと 友達《ともだち》ですよ!
そんなの あたり前《まえ》 じゃんなぁ…

ありがとう…
友也《ともや》は昔《むかし》から 体《からだ》が弱《よわ》くて… 私《わたし》も仕事《しごと》がら なかなか そばに いてやれませんし…
おやじさん… あんたが思《おも》ってる ほど あいつは 弱《よわ》かないっスよ！
それじゃあ！
友達《ともだち》といっても あんな人形《にんぎょう》くらい しかいないと 思《おも》ってました もので……
…
強《つよ》くなれ
強《つよ》くなれ！
わー パパ…
また 買《か》って来《き》て くれたのー！
友也《ともや》…それはな ゾンバイアっていう アメリカ…いや世界《せかい》で 一番強《ばんつよ》い ヒーロー なんだぞ！
へー そんなに 強《つよ》いのー！
ああ！
この人形《にんぎょう》見《み》てるとさ…… なんか ボクも 強《つよ》くなったような 気《き》がするよ！
そうか！
それなら 日本《にほん》に帰《かえ》って来《く》るたびに ゾンバイアを 買《か》って来《き》てやるぞ！
ほんとー!!
ああ！ たくさん…！
たくさんだ！

友也《ともや》…
いやあぁー！
うん
我《われ》ながら
カッコいいです
――！
闇夜《やみよ》をきりさき
ビルの谷間《たにま》を抜《ぬ》け
悪《あく》をたおす
ゾンバイアー！
ZOMBIRE

ZOMBIRE
闇夜《やみよ》をきりさくかカッコいいなぁ
ゾンバイアは夜《よる》の街《まち》が似合《にあ》うんです！
よし…この格好《かっこう》で外《そと》に出《で》てみようかな…
誰《だれ》もボクだなんて気《き》づくハズもないし…
よいしょ
っと…
!?
友也《ともや》…

スゴイヤー
なんか本物《ほんもの》のゾンバイアになったような気《き》がする
本当《ほんとう》に強《つよ》くなったような気《き》がする!!
変身時《へんしんじ》はコンタクトレンズをはめている
最高《さいこう》──ッ!
ハハハ
なんか くせになりそ──
ン…
オラオラ──!!
ばっ
ぶっ
ヤバイ…ケンカだ…
二人《ふたり》が一方的《いっぽうてき》に一人《ひとり》を…

やばい
逃《に》げよう…
でもこんな時《とき》…
ゾンバイアは
逃《に》げたり
しない!!
バッ!!
よ…弱《よわ》い者《もの》
いじめは
よすのだ!!
な…
何者《なにもの》だ!
ゾ…
…と
ここで名乗《なの》っちゃ
いけないんだ…!
ゾンバイアは
悪者《わるもの》をやっつけた後《あと》に
名前《なまえ》を答《こた》える!
お前《まえ》も
痛《いた》いめに あいてー
のかぁぁぁー!
ヒッ…

ぐわあああ〜〜〜っ!!!
チョン
え…!?
よくもオレの仲間《なかま》を〜〜
え!!
うわあああ
ぐわっきー〜〜!
チョン★
!?
え…
ズ
つ…強《つえ》え…
オレ達《たち》じゃ歯《は》がたたない逃《に》げろーー!
…!?

ハッ…
ここで名前《なまえ》をいうんだ!!
私《わたし》はゾンバイアだー
くーカッコいいー
すごい…
すごいよ…ボクは本当《ほんとう》に強《つよ》いんだ!
ゾンバイアなんだ!!
へへ…これでいいのかよ…おっさん…
ああ…
そうだお金《かね》を払《はら》わなくちゃね!
これで友也《ともや》はもっと自分《じぶん》に自信《じしん》がもてるハズだ!
へへーいいアルバイトだぜ!
ガキのヒーローごっこにつき合って10万《まん》とはよー!
またお願《ねが》いするよ…
いいぜ!
それならお子《こ》さんの学校《がっこう》と名前《なまえ》を教《おし》えといて下《くだ》さいよ〜
へへ…いい金《かね》ヅル見《み》つけたぜ!

──翌日《よくじつ》
バイバイ
今日《きょう》家《いえ》に帰《かえ》ったら…ゾンバイアのガレキを作《つく》るぞー
童実野高校
おい！
お前《まえ》童実野《どみの》高《こう》の生徒《せいと》だろ！
…！
なんかガラの悪《わる》い人達《ひとたち》だぞ…
花咲《はなさき》って奴《やつ》知《し》ってるか？

君《きみ》たち
やめろ!!
え…!?!?
花咲《はなさき》くん!
!!
おい…
今《いま》の声《こえ》…
ああ!
間違《まちが》いない…
こいつが花咲《はなさき》だ!
昨夜《さくや》の
ヒーローきどりのな
……

遊闘《バトル》23

アメリカン・ヒーロー

《後編《こうへん》》

ZOMBIRE

え…!?!?
花咲《はなさき》くん!?
なんで この不良《ふりょう》どもが 花咲《はなさき》くんの名《な》を……
いや 知《し》りませんよ…
ン…
ウソつくなよ!
遊戯《ゆうぎ》くん!! 君《きみ》は ボクが 守《まも》ります!!
ゴゴゴ
遊戯《ゆうぎ》くんが 不良《ふりょう》に からまれてるぞ!!
……やつらは 昨日《きのう》の…!!
知《し》りません よー
昨夜《さくや》 あれほど 痛《いた》めつけてやった のに まだ 弱《よわ》い者《もの》いじめを…!
このゾンバイアが!!!

ヒ…
ビクッ
く…ビビるな…
こんなやつらボクがゾンバイアに変身《へんしん》すればコテンパンです!
おい行《い》こーぜ!
そいつはオレ達《たち》じゃかなわないぜ……
え…!?
!
ほっ…
!?
やつら花咲《はなさき》くんを見《み》て逃《に》げていったぞ!!
遊戯《ゆうぎ》くん大丈夫《だいじょうぶ》ですか?
うん…スゴイねー花咲《はなさき》くん!
これからもし悪《わる》い奴《やつ》にからまれたらボクにいって下《くだ》さい!
ボクが遊戯《ゆうぎ》くんを守《まも》ります!
う…うん
花咲《はなさき》くんなんかすごい自信《じしん》だな…

おい どうして退散《たいさん》すんだよ…
昨夜《さくや》のお礼《れい》にやっちまうんじゃなかったのかよ…
バーカ!
顔《ツラ》がわかりゃあそれでいい…
あのガキはせっかく見《み》つけた金《かね》ヅルよ…
今《いま》は あのヒーローきどりをとことん 図《ず》に乗《の》らせておくさ!
そして作戦《さくせん》は 今夜《こんや》決行《けっこう》だ!
ボクも 花咲《はなさき》くんにすっかり影響《えいきょう》されてゾンバイアにハマっちゃったな…
ガレージ・キット
よーし組《く》み立《た》ては完了《かんりょう》ーっ!
あとは色《いろ》をつければ完成《かんせい》だー!
スコ
げ!
このスプレー缶《かん》カラッポじゃん!!

ツイてないー！
あと少《すこ》しで完成《かんせい》なのに——！
ボクん家《ち》にスプレー缶《かん》はおいてないし…
他《ほか》の店《みせ》ももう閉《し》まっちゃってるしな
でもこのままじゃくやしいぜー
8時《じ》か…
よし！
花咲《はなさき》くん家《ち》に行《い》ってスプレーを貸《か》してもらおう——っと！
ザッ
花咲
フフ…
パパ明日《あした》アメリカに戻《もど》っちゃうんだね
次《つぎ》はいつ戻《もど》って来《く》るの？
う——んちょっとわからないなあ……

そう…
と…ところで友也《ともや》…!
近所《きんじょ》でスゴイ噂《ウワサ》を聞《き》いたぞ!
昨夜《さくや》 公園《こうえん》でな 弱《よわ》いものいじめをしている悪人《あくにん》をどこからともなく現《あらわ》れた正義《せいぎ》のヒーローがやっつけちゃったそうだ!
ひょっとしてゾンバイアかもなーー!
フーン
パパがその正体《しょうたい》をボクだなんて知ったらビックリするだろうな…
ごちそーさま!
部屋《へや》にいるけど入《はい》る時《とき》はノックしてね!
友也《ともや》…最近《さいきん》顔《かお》ツキが男《おとこ》らしくなったような気がするわ…
ハハ そうか…
友也《ともや》のやつ 昨夜《さくや》の一件《いっけん》で自信《じしん》をつけたようだ……

タァーー
イヤーッ
ボヮ。ボヮ。
いつでも悪人《あくにん》と戦《たたか》えるように体《からだ》をきたえておかなくちゃ！
ガシャァン
ヒ…！
な…なんだぁ!!
コロ☆
コロ☆
これは…手紙《てがみ》…!!
パッ
おまえの友達《ともだち》はあずかった!!
ココ
エ〜ン
エ〜ン
HELP!
正義《せいぎ》のヒーローさんへ

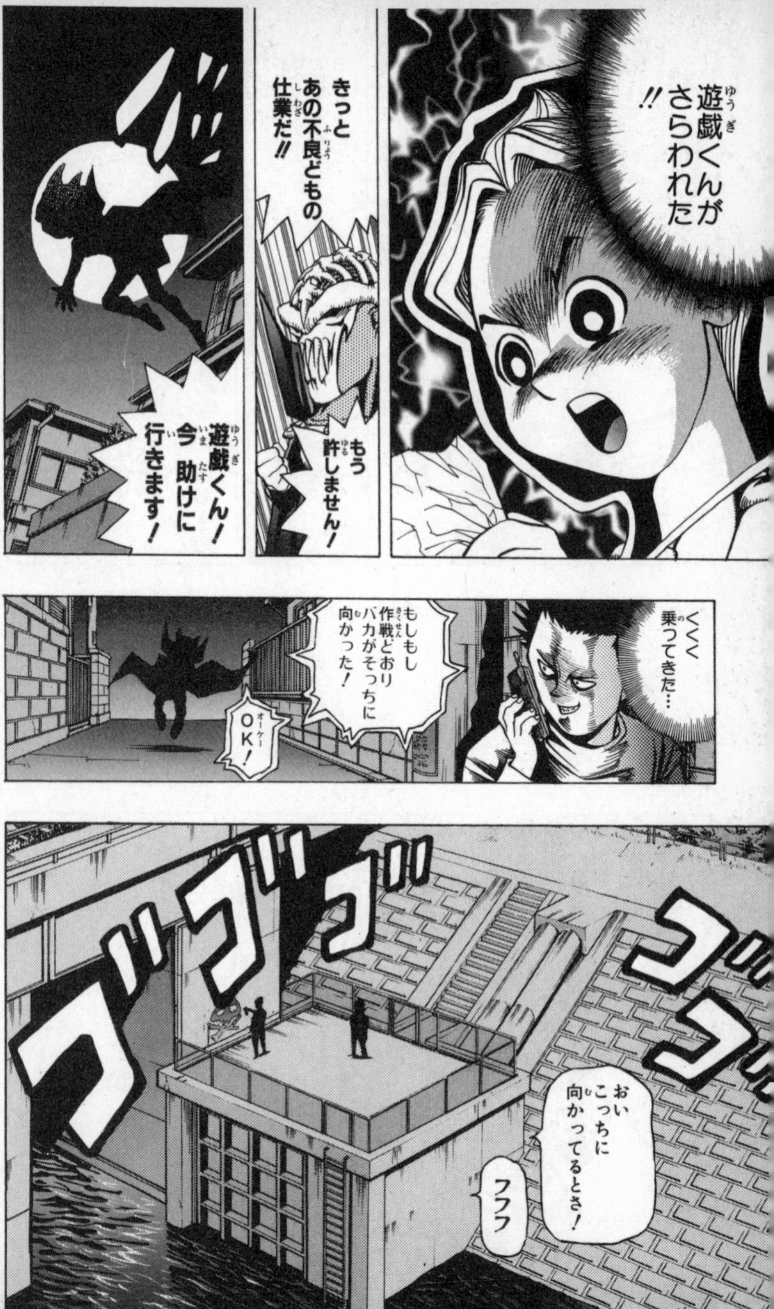
遊戯《ゆうぎ》くんが
さらわれた!!
きっと
あの不良《ふりょう》どもの
仕業《しわざ》だ!!
もう
許《ゆる》しません!
遊戯《ゆうぎ》くん!
今《いま》 助《たす》けに
行《い》きます!
くくく
乗《の》ってきた…
もしもし
作戦《さくせん》どおり
バカがそっちに
向《む》かった!
OK《オーケー》!
ゴゴゴ
ゴゴ
おい
こっちに
向《む》かってるとさ!
フフフ

へへ…
よし
次《つぎ》の作戦《さくせん》に
とりかかれ!
OK《オーケー》!
ピ
ピ
もしもし
花咲友也《はなさきともや》くんの
おタク?
あ
あんた
パパさん?
実《じつ》はさぁ
例《れい》のヒーロー
ごっこ……
今夜《こんや》も実行《じっこう》
したいんスけど
ね…
今回《こんかい》の
報酬《ほうしゅう》は…
ゴゴ
ゴゴ

50万《まん》!!
くく…もし 払《はら》わねーってなら… 今回《こんかい》 正義《せいぎ》のヒーローは 悪者《わるもの》に なぶり殺《ごろ》しに されるってストーリーに 変更《へんこう》しなくちゃなぁ――!
ククク…
そ… そんな金《かね》 あるワケが……!
来《き》た 来《き》たぁ～
今《いま》 ヒーローが 登場《とうじょう》したぜぇ パパさんよぉ…
早《はえ》えとこ 金《かね》を 持《も》って来《こ》ねえと 次《つぎ》の親子《おやこ》の対面《たいめん》は 病院《びょういん》のベッドってことになるぜ
遊戯《ゆうぎ》くんはどこだ!
悪党《あくとう》ども!!
フフ…

こんばんは――
花咲《はなさき》くん いますかー
…
……
ガチャ
と…
友也《ともや》が〜〜〜!
友也《ともや》が〜〜〜!
オロ
オロ
!?
花咲《はなさき》くんに 何《なに》か あったんですかーっ!!
オロ
こ… これが…
友也《ともや》の 部屋《へや》に…
どうしよう どうしよう…
オロ
花咲《はなさき》くん…!
!!
君《きみ》は ボクのために ……!!

ドカ
バキ
オラー──
どうしたぁ
ヒーローちゃん
よおお!
ズガ
うっ
うぐ…
そ…そんな…
ボクは
強《つよ》いハズじゃ…
なかったのか…
いいこと
教《おし》えてやるぜ…
昨夜《ゆうべ》
オレ達《たち》が
やられたのは
芝居《しばい》だぜ…
!
…
お前《まえ》の親父《おやじ》に
金《かね》もらってな
──!!
!!

ウソだ…
ウソだー!
へへーー
ギャアアアア
目《め》が
目《め》が〜!
わはははは
てめーみてえな
クソチビが
強《つよ》くなれるワケ
ねーだろ!!
ぐあっ!!
うう…
やめろ
クズども!
!!

てめえらとは
オレが遊《あそ》んでやるぜ!
ゴゴゴ
なんだ!?
またヒーローきどりのバカが現《あらわ》れやがったのか…
友也《ともや》…
遊《あそ》んでやるだぁ…
おもしれーじゃん!
友也《ともや》…
大丈夫《だいじょうぶ》か!
クク…小僧《こぞう》
お前《まえ》ひとりでオレ達《たち》三人《にん》を相手《あいて》にしよーってのかよ…
ピッ

ペイント
カラー
くく…
こいつは
楽《たの》しいゲームに
なりそーだぜ!
けっ…
ナメられた
もんだぜ…!!
フフ!
ちっ…

ダダーッ
く…
ちっ…
チョコマカと!
ブッ殺《ころ》してやるー!!
ダッ
くそ… くだらねえ
鬼《おに》ゴッコなんぞ
やってられねーぜ
おい
反対《はんたい》から
回《まわ》り込《こ》め!
端《はし》に
おいこむんだ!

友也《ともや》…大丈夫《だいじょうぶ》か…
うん…目《め》がかすむけど…
!!
遊戯《ゆうぎ》くん……!?
戦《たたか》っている…!?!?
遊戯《ゆうぎ》くんが……!!
ボクのために……!!
さあ今《いま》のうちだ…帰《かえ》ろう友也《ともや》…
え…!?
さあ!友也《ともや》!

バッ
パパ ボクは逃《に》げない!
ここで逃《に》げたら永遠《えいえん》に強《つよ》くなんかなれないよ!!
友也《ともや》…!!
友也《ともや》…
へへ~~~ 追《お》いつめたぜ…
覚悟《かくご》しな!

ククク…バーカ
オレがただ
やみくもに
走《はし》っていたとでも
思《おも》ってんのか？
な…なに
…！
！
お前《まえ》らの
足元《あしもと》を
見《み》てみな！
地面《じめん》に
スプレーで
ラクガキが
描《か》かれてる
!?!?!?
ただの
ラクガキじゃ
ねーぜ！
てめえが
捨《す》てたタバコの
吸《す》いがら…
こいつが
塗料《とりょう》の導火線《どうかせん》に
火《ひ》をつけるぜ！
ジジジ…
な…な…

うわああ
あぁーっ!
炎《ほのお》の迷路《めいろ》だぜ!!
ひっ…
足《あし》に火《ひ》が
~~~!!
ハハハハ 走《はし》れ走《はし》れー!
迷路《めいろ》の出口《でぐち》に
向《む》かってよー!
アチ
アチ~~~ッ!!!
安心《あんしん》しな……
迷路《めいろ》を抜《ぬ》ければ
命《いのち》だけは
助《たす》かるからよ…
~~~

キャ―――
助《たす》けて～～～
ヒ―――ッ！
遊戯《ゆうぎ》くん！
ごめんね…ボクのために…
ボクはバカだよね…
友也《ともや》…パパは間違《まちが》っていたよ……
このマスクに隠《かく》れていた…友達《ともだち》のために傷《きず》ついた顔《かお》こそが本当《ほんとう》のヒーローの顔《かお》だったんだね…
ボクがヒーローになんかなれるワケないのに…
いや…なれるさ！

遊闘《バトル》24

カプセル・モンスター・チェス！

学校帰《がっこうがえ》りの道《みち》の途中《とちゅう》に一軒《けん》の駄菓子屋《だがしや》がある
そこには今日《きょう》も子供《こども》の人《ひと》だかりができていて——
一台《だい》のガシャポンを囲《かこ》んでいる！
カプセルモンスター
一回百円《いっかいひゃくえん》
それが今《いま》子供達《こどもたち》の間《あいだ》でブームになっている
カプセルモンスターだ！
この卵型《たまごがた》カプセルのフタを開《あ》けると中《なか》にはモンスターの人形《フィギュア》が入《はい》っている
数字《すうじ》はモンスターのレベル(最大《さいだい》5まで)
モンスターの種類《しゅるい》は250種《しゅ》
ゲームのルールはプレイヤー二人《ふたり》がそれぞれ持《も》ちよった五体《たい》のモンスターを戦《たたか》わせる——チェスに似《に》たゲームだ！
惑星《わくせい》ガーナスターを舞台《ぶたい》とするバトルは8×8のマスが描《か》かれたフィールド盤《ばん》を用《もち》いてくりひろげられる
フィールド盤《ばん》五十種類《しゅるい》

ゲームの勝敗《しょうはい》は 相手《あいて》のモンスターを すべて倒《たお》した 者《もの》の勝《か》ちとなる
モンスターは それぞれ 攻撃力《こうげきりょく》 行動範囲《こうどうはんい》などが 違《ちが》うので うまく 作戦《さくせん》を立《た》てて 戦《たたか》おう
相手《あいて》のモンスターの 正体《しょうたい》は ゲーム スタートまで わからない！
そこが カプセル・モンスター・チェスの おもしろいところだ！
子供《こども》たちは ガシャポンの前《まえ》で もうひとつの 熱《あつ》い戦《たたか》いをくり ひろげている!!
ちぇ また レベル1 かよー！
そのカプセル オレのと 交換《こうかん》しない？
サッ
あ！
ねえ君《きみ》ィ！ 次《つぎ》は ボクの番《ばん》だよ！ 横入《よこはい》りは やめろ よーー！
なんだよ そんなの 知《し》らねーよ！
だいたい あんた 高校生《こうこうせい》だろ！
いい歳《とし》して カプ・モン やるなよ！
ちっとも 見《み》えねーけど！
うっ…
ハハ……
ゲームに 歳《とし》なんか 関係《かんけい》ないでしょー ボク……
ムカ
プル プル
…ったく ナマいきな 子供《こども》だ！
けっ そんなに ほしいなら 先《さき》に買《か》わせて やるよ！
気分《きぶん》ワルーー
へへ
百円《ひゃくえん》 百円《ひゃくえん》と…

百円《ひゃくえん》を入《い》れて…と
カチャ☆
アレーーッ 出《で》てこないぞー カプセルがー!!
くそー なんだよーー!
ガン★
ガタガタ
このポンコツ〜〜!!
ギャハハハハ つまってやんの!
バーカ!
ぐ…
コラァァ〜〜〜! 機機《きかい》を叩《たた》くなーー!
いて〜〜…
わー イレバージだ! おっかねーぞ!
フン! たかが百円《ひゃくえん》損《そん》したくらいで 機械《きかい》を壊《こわ》されてたまるかい!
この機械《きかい》高《たか》いんじゃぞー お前《まえ》ごときじゃ弁償《べんしょう》できんくらいになー!
駄菓子屋《だがしや》のじーさん(通称《つうしょう》イレバージ!)頑固《がんこ》・ドケチで有名《ゆうめい》
ス…スイマセン…
損《そん》したのはこっちなのになんであやまってんだ〜〜オレ!

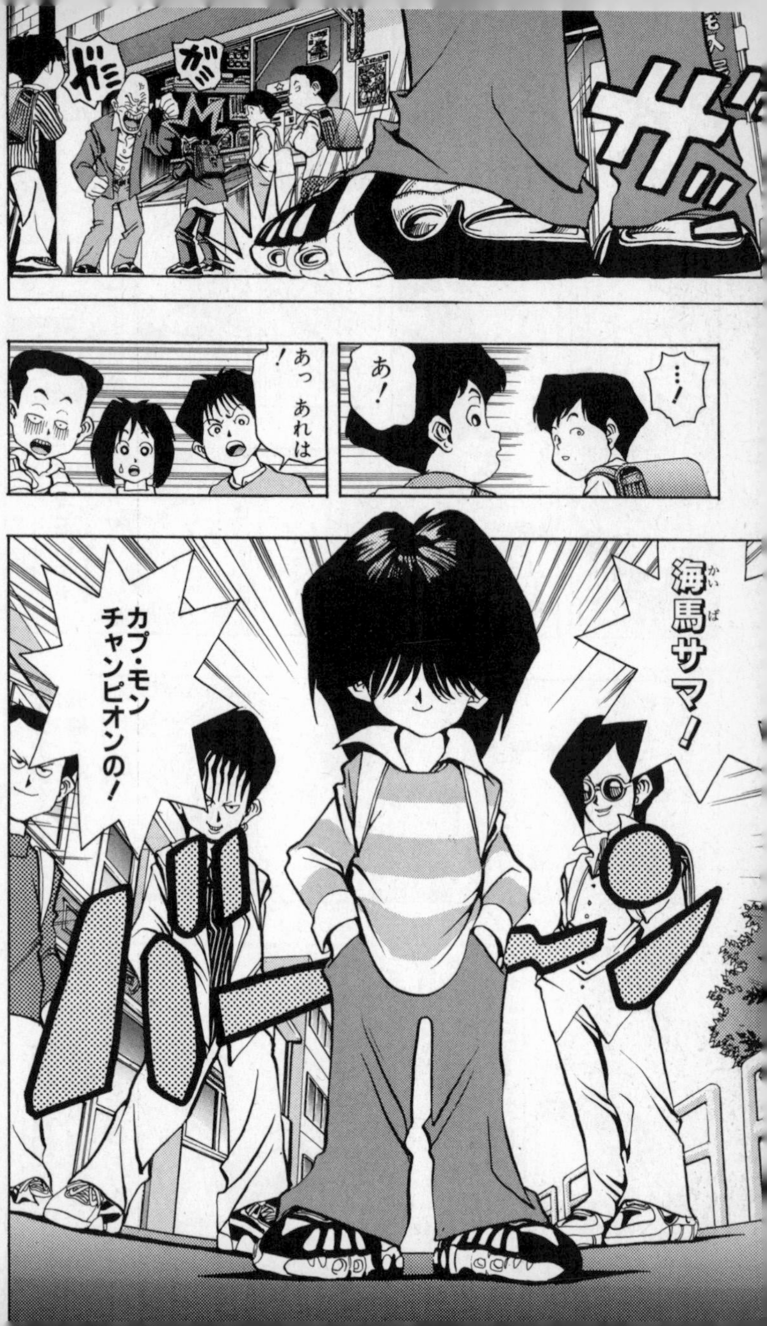
ザッ
ガミ
ガミ
…!
あ!
あっ あれは!
海馬《かいば》サマ!
カプ・モン チャンピオンの!

おい遊戯《ゆうぎ》！
え…!?
お前《まえ》遊戯《ゆうぎ》だよな〜〜〜〜！
…!!
こいつ一体《いったい》誰《だれ》だ？何《なん》でボクの名前《なまえ》を…！
まだ小学生《しょうがくせい》のようだけど…
ククク…そう驚《おどろ》くなよ！お前《まえ》がオレを知《し》るワケないよ…
今《いま》初《はじ》めて会《あ》ったんだもんネ――！
だがオレはお前《まえ》のこと知《し》ってるんだぜい！
？
海馬瀬人《かいばせと》を知《し》ってるな！
オレの兄《あに》のさ！

海馬《かいば》くんの弟《おとうと》!!
そうか…君《きみ》は海馬《かいば》くんの…
海馬《かいば》くんはマジック&《アンド》ウィザーズのエキスパートだ!
ちっ…
あらゆるゲームで負《ま》け知《し》らずでオレの最《もっと》も尊敬《そんけい》する兄《にい》サマほどの人《ひと》を負《ま》かした奴《ヤツ》がこんなチビ助《すけ》とはね…
ちょっとは尊敬《そんけい》してやろうと思《おも》ったけどヤメたぜい!
……ン?
まわりの子供《こども》たち…海馬《かいば》くんの弟《おとうと》が現《あらわ》れたとたん静《しず》まりかえっちゃったよ…
オレはカプ・モンに関《かん》してはかなり腕《うで》に自信《じしん》があるんだ!
この前《まえ》も大会《たいかい》で優勝《ゆうしょう》してね…
遊戯《ゆうぎ》!
お前《まえ》もカプ・モンを多少《たしょう》は心得《こころえ》ているようだね!
いや…それほどでもないよ!
ちょっと前《まえ》に始《はじ》めたばかりでさー!
くくく…
そんなけんそんするなって…!

遊戯《ゆうぎ》を拉致《らち》しろ!!
え…!?
ドドッ
なんて物騒《ぶっそう》なモノを!!
そいつらはオレの部下《ぶか》だ!
逃《に》げようなんて考《かんが》えたらどうなるかわかってるな!
おいイレバージ!
このガシャポンはもらっていくぞ!
な…なにを〜
お!
つりはとっとけ!
ハ…ハイ毎度《まいど》〜〜!

遊戯《ゆうぎ》!
お前《まえ》を 今《いま》から ある場所《ばしょ》に 連行《れんこう》する!
楽《たの》しみにしてろ!
…
いよいよ 復讐戦《ふくしゅうせん》だ!
兄《にい》サマのな!!
工場跡《こうじょうあと》・廃墟《はいきょ》
バン
ここは オレたちの 秘密《ひみつ》の基地《きち》だ!
わかってるな!
ここで オレと カプセル・モンスター・チェスをやるんだぜい!!
お手《て》やわらかに たのむよ〜〜
なんだ コイツ… 高校生《こうこうせい》のくせに ウジウジしやがって よ〜〜
…

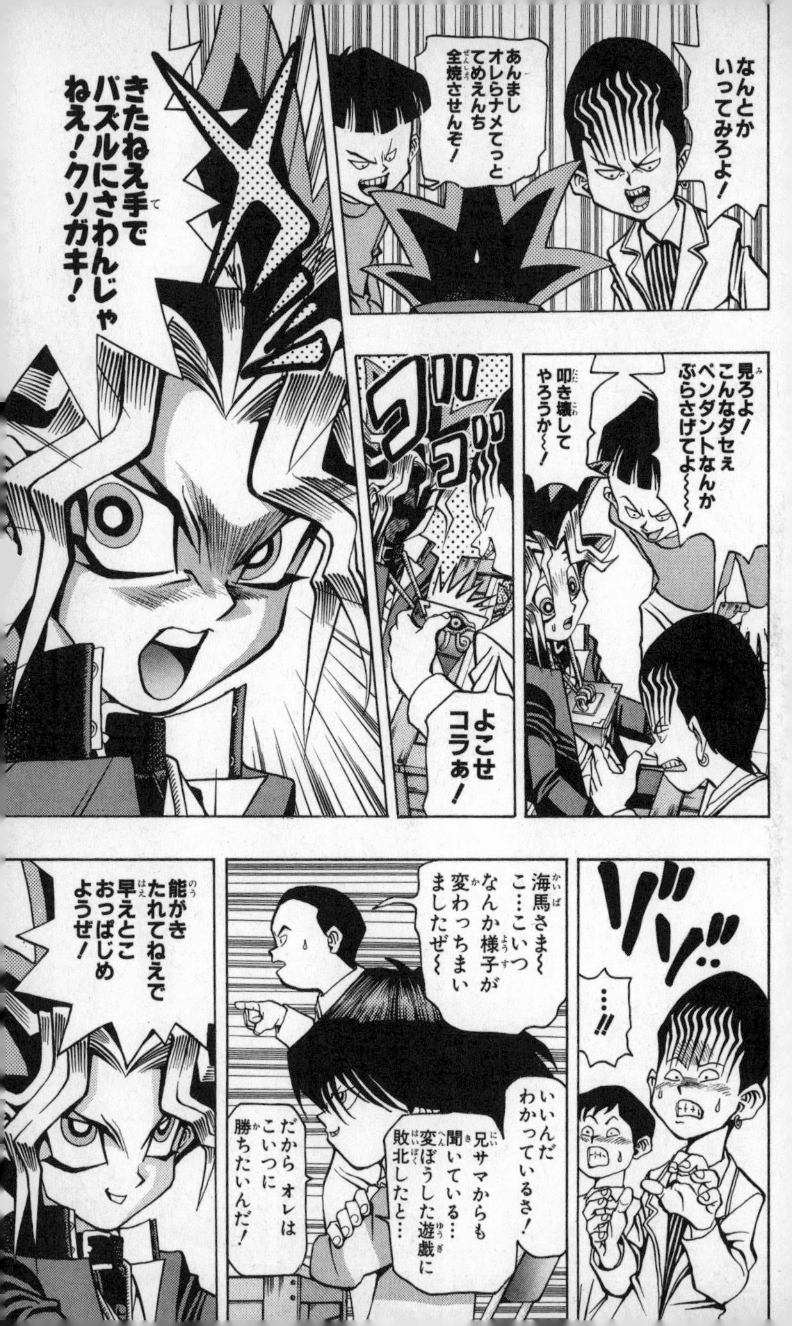
なんとかいってみろよ！
あんましオレらナメてっとてめえんち全焼《ぜんしょう》させせんぞ！
きたねえ手《て》でパズルにさわんじゃねえ！クソガキ！
見《み》ろよ！こんなダセェペンダントなんかぶらさげてよ〜〜〜！
叩《たた》き壊《こわ》してやろうか〜！
ゴゴゴゴ
よこせコラぁ！
ゾゾ
…!!
海馬《かいば》さま〜こ…こいつなんか様子《ようす》が変《か》わっちまいましたぜ〜
いいんだわかっているさ！
兄《にい》サマからも聞《き》いている…変《へん》ぼうした遊戯《ゆうぎ》に敗北《はいぼく》したと…
だからオレはこいつに勝《か》ちたいんだ！
能《のう》がきたれてねえで早《はえ》えとこおっぱじめようぜ！

惑星《わくせい》ガーナスター
フィールド・バージョン7
「クライシスの丘《おか》」を
選《えら》んだ
オレが最《もっと》も
得意《とくい》とする
フィールドだぜい！
カプセル・モンスター
を用意《ようい》しな！
レベルは
どうでもいいぜ！
フフ…
そのために
ガシャポンを
用意《ようい》したんだ！
オレが自分《じぶん》の
コレクションを
使《つか》ったら簡単《かんたん》に
勝《か》っちゃうからね
！
おい！
順番《じゅんばん》に
カプセルを
引《ひ》け！
モンスター
まずは
遊戯《ゆうぎ》のから！

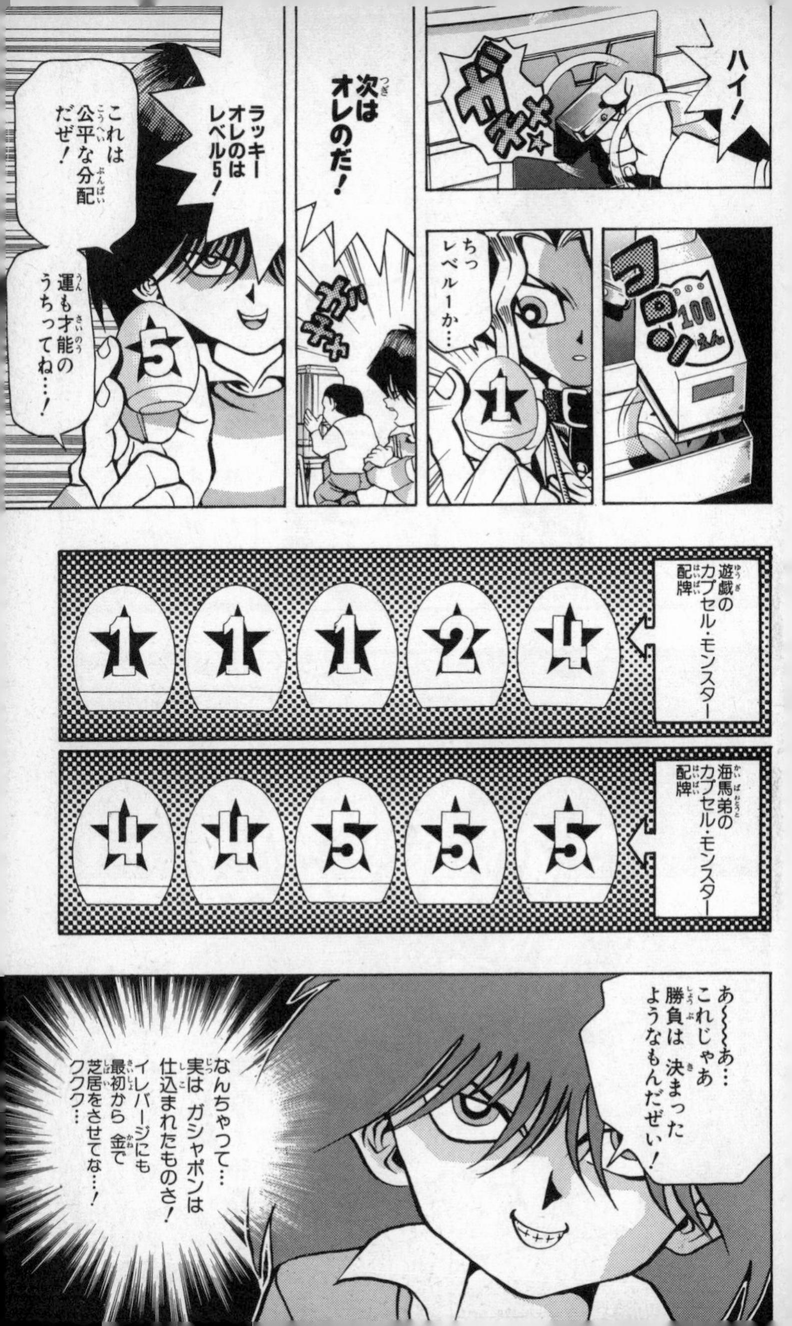
ハイ！
100えん
ちっ レベル1か…
次《つぎ》はオレのだ！
ラッキー オレのはレベル5！
これは公平《こうへい》な分配《ぶんぱい》だぜ！
運《うん》も才能《さいのう》のうちってね…！
遊戯《ゆうぎ》のカプセル・モンスター配牌《はいぱい》
4 2 1 1 1
海馬弟《かいばおとうと》のカプセル・モンスター配牌《はいぱい》
5 5 5 4 4
あ〜〜あ… これじゃあ勝負《しょうぶ》は 決《き》まったようなもんだぜぃ！
なんちゃって… 実《じつ》は ガシャポンは仕込《しこ》まれたものさ！ イレバージにも最初《さいしょ》から 金《かね》で芝居《しばい》をさせてな…！ ククク…

遊戯《ゆうぎ》！ゲームに負《ま》けた者《もの》はリスクを背《せ》おわなきゃおもしろくないよな！
お前《まえ》が負《ま》けたらコイツで指《ゆび》を切《き》り落《お》としてもらうぜい！
ギャハハハハハー
OK《オーケー》！オレが勝《か》ったら——
お前《まえ》には罰《ばつ》ゲームを受《う》けてもらう！
ゲームスタート前《まえ》に手持《ても》ちのカプセルを自分《じぶん》の陣地内《じんちない》に自由《じゆう》に配置《はいち》する！
——当然《とうぜん》相手《あいて》のカプセルの中《なか》のモンスターはレベル以外《いがい》知《し》ることはできない！
最初《さいしょ》の陣形《じんけい》がゲームの勝敗《しょうはい》を左右《さゆう》し それは経験《けいけん》と勘《かん》だけが頼《たよ》りなのだ！
ドドドド
いくぞ遊戯《ゆうぎ》！ゲームスタートだ！
スタートの合図《あいず》とともに カプセルはとりのぞかれる!!

ドクラー LV《レベル》4
ダイナソーウイング LV《レベル》5
コブラーダ LV《レベル》4
ガンボ LV《レベル》5
ヘッド・ザッカー LV《レベル》5
デビル・キャッスル LV《レベル》1
フラワーマン LV《レベル》1
アイ・マウス LV《レベル》1
グレート・パー LV《レベル》4
トリガン LV《レベル》2
オレからいくぞ!
くくく 遊戯《ゆうぎ》の陣形《じんけい》… まるでシロートだぜい!

ひとつ いっておくが これは『闇《やみ》のゲーム』だぜ！
フン！ 最初《さいしょ》から レベルが違《ちが》うぜ レベルがぁ～く！
片《かた》っ端《ぱし》から 戦闘《バトル》を仕掛《しか》けて いくぜい！
カッ
ガンボ LV《レベル》5
なら オレも果敢《かかん》に 攻《せ》める！
カッ
アイ・マウス LV《レベル》1
バカがぁーー！
あきらかに レベルが違《ちが》う 貧弱《ひんじゃく》モンスターが 向《む》かって来《き》やがったぜい！
ギャハハハーーッ
格《かく》の違《ちが》いを 見《み》せてやれ！
バトル!!
ゴゴゴ
フギャッ！

ギャハハハハ
遊戯《ゆうぎ》のモンスター
一匹《ぴき》撃《げき》破《は》ーっ!!
フフ…
!
な…なにが
おかしい!
お前《まえ》に
ゲームの心得《こころえ》を
指導《しどう》してやるぜ!
どんな不利《ふり》な
状況《じょうきょう》でも
相手《あいて》には
余裕《よゆう》を
見《み》せつけろ!
これが
心得《こころえ》その1
だぜ!
お…お前《まえ》
オレに
指導《しどう》するだと
～～～!!!
どんな時《とき》でも
熱《あつ》くなるな!
心得《こころえ》
その2だ!
く…く…
さて オレは
このモンスターで
バトルを
仕掛《しか》けるぜ!
グレート・バーLV《レベル》4

ギシャアアア
ズバッ
くっ…相討《あいう》ちか！
これでオレのモンスターは残《のこ》り三体《たい》…
海馬弟《かいばおとうと》は四体《たい》となったわけだ！
バーカ！たかが一体《たい》減《へ》ったくらいでオレの優勢《ゆうせい》に変《か》わりないぜい！
バトル!!
ドド
フラワーマン LV《レベル》1
ダイナソー・ウイング LV《レベル》5
ゴオオ
──当然撃破《とうぜんげきは》！遊戯《ゆうぎ》のモンスター残《のこ》り二体《たい》!!

次《つぎ》のオレの手《て》は…
こいつを左《ひだり》に逃《に》がす!
逃《に》がすかーバカめ!
すかさず追《お》って背後《はいご》から一撃《いちげき》よー!
ガリゴリ
ワハハハハーー
お前《まえ》のモンスターは残《のこ》り一体《たい》だぜー
オレの四体《たい》にどう立《た》ち向《む》かうつもりだよ!
オレの勝《か》ちだぜい!!
フフ…
な…なにがおかしい!
その笑《わら》いもくだらない心得《こころえ》とかぬかすなよ!!
いや…これは勝利《しょうり》の笑《え》みだぜ!
なに…!?

フィールドの
お前《まえ》のモンスターの
配置《はいち》をよーく
見《み》てみな！
!!
い…いつの間《ま》にか
四体《たい》のモンスターが
ナナメ一列《れつ》に
並《なら》んでる!!
そして
オレの最後《さいご》の
モンスター…
こいつは レベルも
低《ひく》く 小回《こまわ》りがきかず
接近戦《せっきんせん》には
向《む》かないが
ひとつだけとりえが
ある…
たった一度《ど》のみ！
レベル5の敵《てき》さえも
なぎ倒《たお》す
ナナメ一直線《いっちょくせん》の
一撃必殺技《いちげきひっさつわざ》ー
そ…そんな…
遊戯《ゆうぎ》は 自分《じぶん》の
モンスター五体《たい》のうち
一体《たい》を残《のこ》して すべて
犠牲《ぎせい》にした……!?
オレの四体《たい》の
モンスターを一列《れつ》に
おび寄《よ》せるために…
いくぜ!!

疾風《しっぷう》鋭嘴斬《えいしざん》ー!!
切《き》り札《ふだ》は最後《さいご》までとっておく!
心得《こころえ》そのろだぜ!よく覚《おぼ》えておきな!!

負《ま》けた…!!
このオレが…!
罰《ばつ》ゲーム!!
バッ
ゴゴゴ!!
こ…これは…!?
ド
頭上《ずじょう》にカプセルが現《あらわ》れた!!
こ…これが兄《にい》サマを狂気《きょうき》へと変《へん》ぼうさせた遊戯《ゆうぎ》の術《じゅつ》か〜!!
フ…ヒヒ… 遊戯《ゆうぎ》… 兄《にい》サマはお前《まえ》への復讐《ふくしゅう》の準備《じゅんび》を着々《ちゃくちゃく》と進《すす》めているぜ…!
秘密指令《ひみつしれい》「DEATH《デス》-T《ティー》」をなー!!

「DEATH-T《デスティー》」!
ギャー――!!
残念《ざんねん》ながら お前《まえ》じゃ オレの敵《てき》じゃないぜ!!
自分《じぶん》の殻《カプセル》に閉《と》じこもって反省《はんせい》しな!!
ギャ―― 暗《くら》いよ―― せまいよ~~!
兄《にい》サマー 助《たす》けて~
海馬《かいば》サマ~~~!
ゲームの心得《こころえ》ってもんがわかったら また 相手《あいて》にしてやるぜ!!

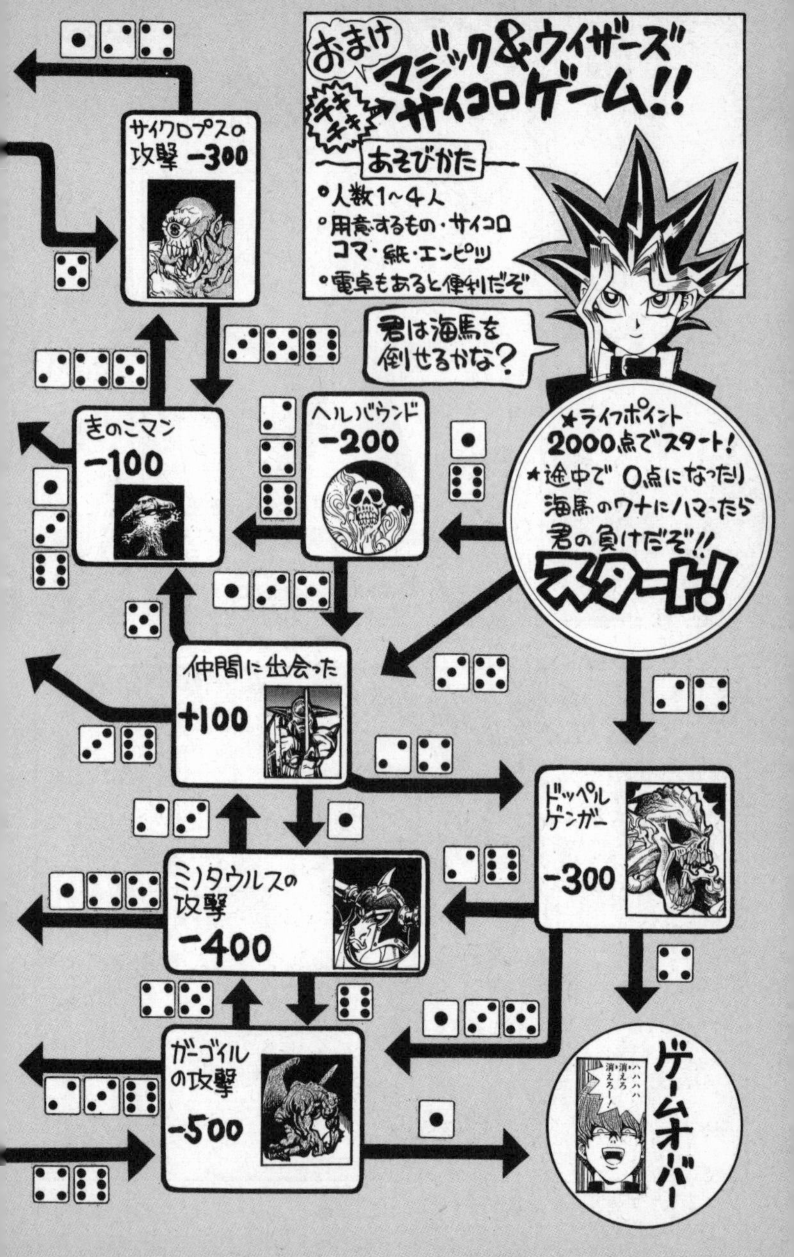
おまけ
チキチキ
マジック&ウイザーズ サイコロゲーム!!
あそびかた
・人数1～4人
・用意するもの・サイコロ コマ・紙・エンピツ
・電卓もあると便利だぞ
君は海馬を倒せるかな?
★ライフポイント2000点でスタート!
★途中で0点になったり海馬のワナにハマったら君の負けだぞ!!
スタート!
サイクロプスの攻撃 −300
きのこマン −100
ヘルバウンド −200
仲間に出会った +100
ドッペルゲンガー −300
ミノタウルスの攻撃 −400
ガーゴイルの攻撃 −500
ゲームオーバー
ハハハハ 消えろ消えろー!

第1ステージ

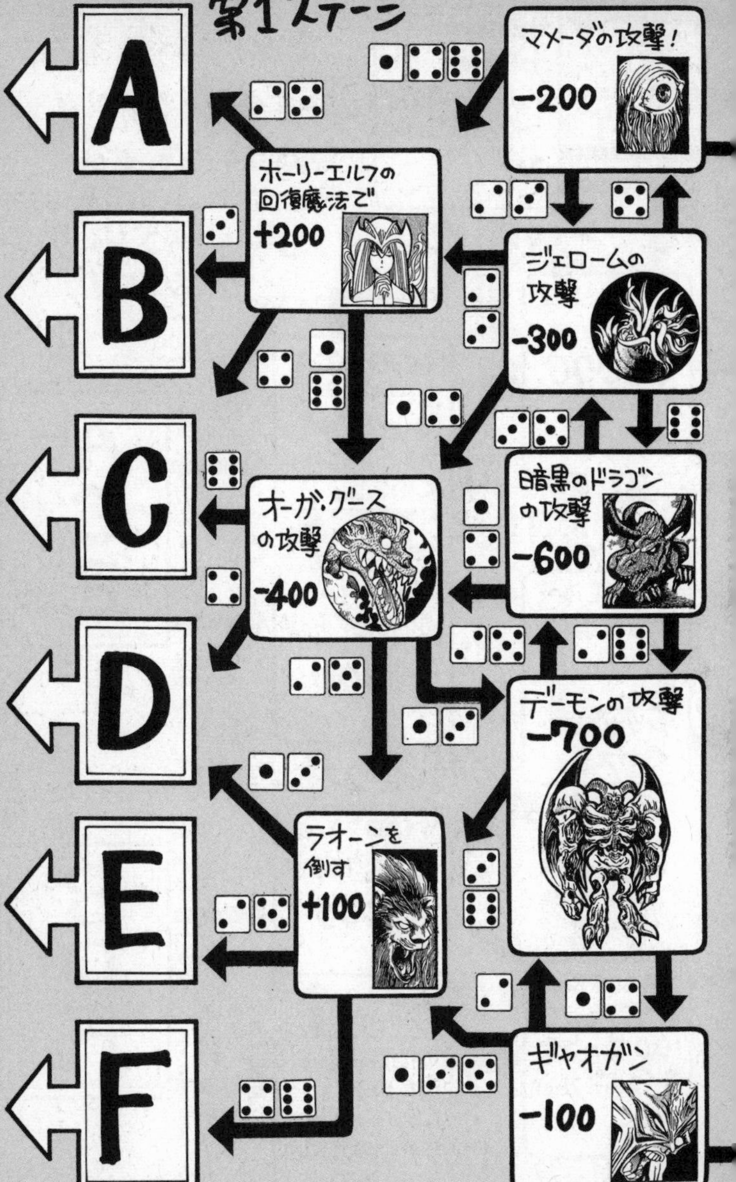

A
B
C
D
E
F
マメーダの攻撃！
−200
ホーリーエルフの
回復魔法で
+200
ジェロームの
攻撃
−300
オーガ・グース
の攻撃
−400
暗黒のドラゴン
の攻撃
−600
デーモンの攻撃
−700
ラオーンを
倒す
+100
ギャオガン
−100

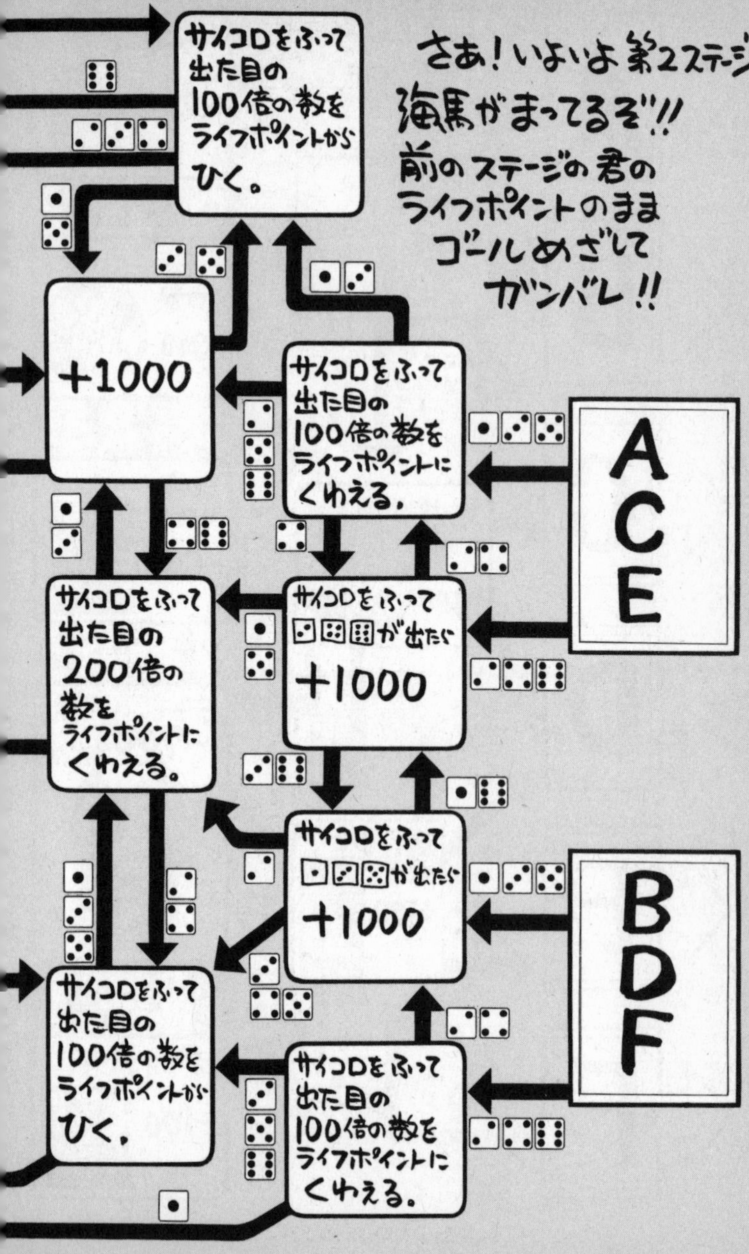

さあ!いよいよ第2ステージ
海馬がまってるぞ!!
前のステージの君の
ライフポイントのまま
ゴールめざして
ガンバレ!!
サイコロをふって
出た目の
100倍の数を
ライフポイントから
ひく。
+1000
サイコロをふって
出た目の
100倍の数を
ライフポイントに
くわえる。
A
C
E
サイコロをふって
出た目の
200倍の
数を
ライフポイントに
くわえる。
サイコロをふって
⚁⚃⚅が出たら
+1000
サイコロをふって
⚀⚁⚄が出たら
+1000
B
D
F
サイコロをふって
出た目の
100倍の数を
ライフポイントから
ひく。
サイコロをふって
出た目の
100倍の数を
ライフポイントに
くわえる。

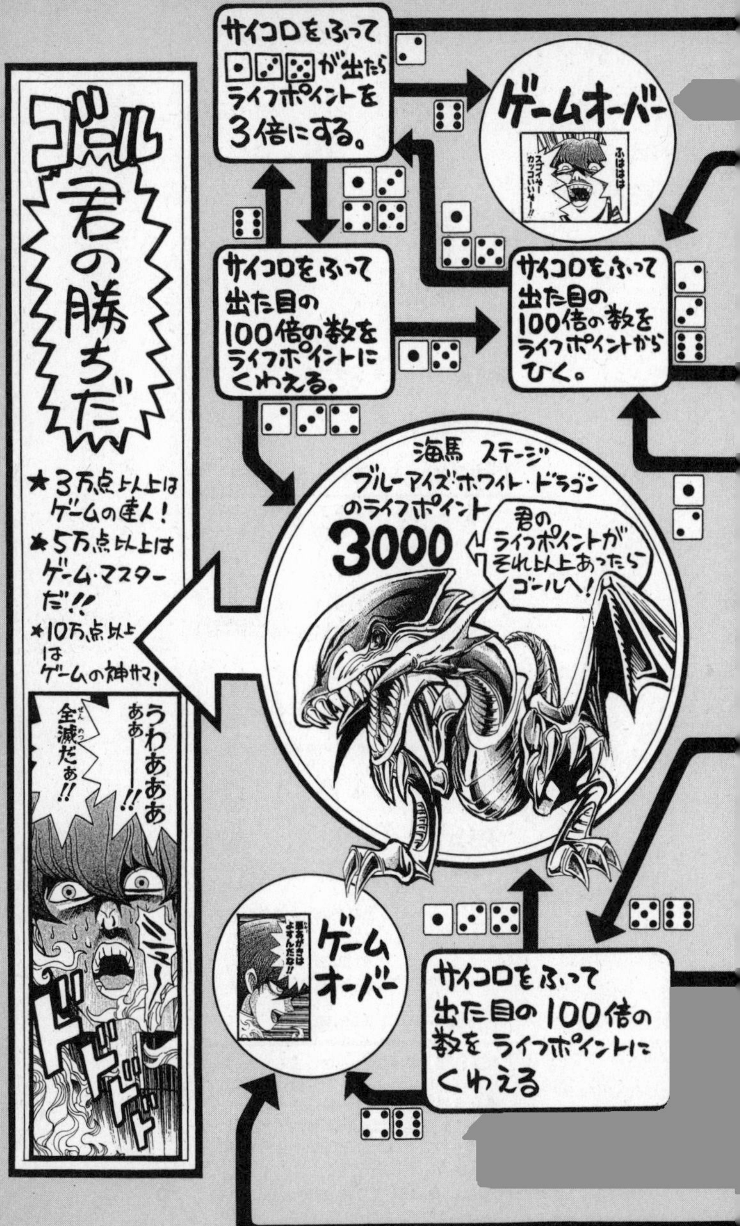

サイコロをふって
が出たら
ライフポイントを
3倍にする。
ゲームオーバー
ふははは
スゴイやー
カッコいいぜー!!
サイコロをふって
出た目の
100倍の数を
ライフポイントに
くわえる。
サイコロをふって
出た目の
100倍の数を
ライフポイントから
ひく。
ゴール
君の勝ちだ
★3万点以上は
ゲームの達人!
★5万点以上は
ゲーム・マスターだ!!
★10万点以上は
ゲームの神サマ!
海馬 ステージ
ブルーアイズ・ホワイト・ドラゴン
のライフポイント
3000
君のライフポイントがそれ以上あったらゴールへ!
うわあああああ——!!
全滅《ぜんめつ》だぁ!!
ミ〜
ドドドド
ゲームオーバー
悪あがきはよすんだな!!
サイコロをふって
出た目の100倍の
数を ライフポイントに
くわえる

■ジャンプ・コミックス

遊☆戯☆王

3 カプセル・モンスター・チェス!

1997年7月9日　第1刷発行
1999年2月20日　第12刷発行

著者　高橋和希

編集　ホーム社
東京都千代田区一ツ橋2丁目5番10号
〒101-8050
電話　東京　03(5211)2651

発行人　山下秀樹

発行所　株式会社　集英社
東京都千代田区一ツ橋2丁目5番10号
〒101-8050
03(3230)6233(編集)
電話　東京　03(3230)6191(販売)
03(3230)6076(制作)
Printed in Japan

印刷所　大日本印刷株式会社

ISBN4-08-872313-9 C9979

ジャンプ・コミックス

集英社